D1533033

DIALOGUES DE BÊTES

*Née en 1873 à Saint-Sauveur-en-Puisaye (Yonne), Sidonie-Gabrielle
Colette y vit jusqu'à son mariage en 1893 avec Henry Gauthier-Villars
(dit Willy), à l'instigation de qui elle écrit la série des quatre* Claudine
*(1900-1904). Divorcée en 1906, elle devient mime tout en continuant à
écrire — romans ou souvenirs :* Les vrilles de la vigne, La vagabonde,
L'envers du musci-hall, *etc. Elle donne des articles au* Matin *dont
elle épouse le rédacteur en chef, Henry de Jouvenel (1912). Elle divorce
en 1924, se remarie en 1935 avec Maurice Goudeket.*

*Membre de l'Académie royale de Belgique (1936) et de l'Académie
Goncourt (1944), elle meurt à Paris en 1954. Par son style et l'ampleur
de son œuvre, elle se classe parmi les meilleurs écrivains du XXᵉ siècle.*

Une tête carrée aux yeux saillants et un corps massif planté sur
de courtes pattes torses lui valent, certains jours d'orage, d'être
appelé saucisson larmoyeur, crapaud à cœur de veau ou phoque
obtus à l'œil de langouste : tel est Toby-Chien, jeune bull bringé
protagoniste de ces dialogues et interlocuteur fébrile de Kiki-
la-Doucette, gros chat des Chartreux fier de sa beauté et de sa
féline sagesse.

Dans la grande maison campagnarde, ils vivent avec des "seigneurs de moindre importance" — *Lui* (qui a une prédilection
pour Kiki-la-Doucette) et *Elle* (qu'idolâtre Toby-Chien).

Voici, malicieusement trahis par Chien et Chat, les secrets du
monde des Quatre-Pattes où les Deux-Pattes interviennent comme
des dieux ravageurs (et facilement circonvenus pour qui a l'astuce
d'un Chat des Chartreux). En contrepoint se devinent les secrets
plus âpres des humains.

Dans ces *dialogues de bêtes*, Colette révèle, en même temps qu'un
fragment de sa vie, son immense talent d'écrivain sensible aux
êtres et aux choses de la nature.

LA MAISON DE CLAUDINE.
LES VRILLES DE LA VIGNE.
LE VOYAGE ÉGOÏSTE.
SIDO.
CES PLAISIRS...
PRISONS ET PARADIS.
LA JUMELLE NOIRE (4 volumes).
DUO, roman.
MES APPRENTISSAGES.
LE TOUTOUNIER, roman.
BELLA-VISTA.
GIGI.
LE FANAL BLEU.
L'INGÉNUE LIBERTINE, roman.
DOUZE DIALOGUES DE BÊTES.
LA RETRAITE SENTIMENTALE.
LA VAGABONDE, roman.
L'ENVERS DU MUSIC-HALL.
LA CHAMBRE ÉCLAIRÉE.
CHÉRI, roman.
PRROU, POUCETTE ET QUELQUES
AUTRES.
L'ENTRAVE, roman.
LES HEURES LONGUES.
CELLE QUI EN REVIENT.

RÊVERIE DE NOUVEL AN.
MITSOU, OU COMMENT L'ESPRIT
VIENT AUX FILLES, roman.
LA PAIX CHEZ LES BÊTES.
AVENTURES QUOTIDIENNES.
DANS LA FOULE.
LA FEMME CACHÉE.
LE BLÉ EN HERBE, roman.
LA NAISSANCE DU JOUR.
LA FIN DE CHÉRI, roman.
LA CHATTE, roman.
DISCOURS DE RÉCEPTION.
CHAMBRE D'HÔTEL.
JOURNAL A REBOURS.
JULIE DE CARNEILHAN.
LE KÉPI.
MES CAHIERS.
TROIS... SIX... NEUF...
BRODERIE ANCIENNE.
NUDITÉ.
PARIS DE MA FENÊTRE.
L'ÉTOILE VESPER.
BELLES SAISONS.
POUR UN HERBIER.
TRAIT POUR TRAIT.
LA SECONDE.

En « collaboration » avec M. Willy.

CLAUDINE A L'ÉCOLE.
CLAUDINE A PARIS.

CLAUDINE EN MÉNAGE.
CLAUDINE S'EN VA.

THÉATRE

En collaboration avec M. Léopold MARCHAND

LA VAGABONDE, pièce en 4 actes.
CHÉRI, pièce en 4 actes.

Parus dans Le Livre de Poche :

L'INGÉNUE LIBERTINE.
GIGI.
LA CHATTE.
CLAUDINE A PARIS.
CLAUDINE EN MÉNAGE.
CLAUDINE S'EN VA.

LA VAGABONDE.
LA RETRAITE SENTIMENTALE
MITSOU.
LA SECONDE.
CHÉRI.
CLAUDINE A L'ÉCOLE.

DUO suivi de LE TOUTOUNIER.
SIDO suivi de LES VRILLES DE LA VIGNE.
CHAMBRE D'HÔTEL suivi de LA LUNE DE PLUIE.
LA MAISON DE CLAUDINE.

COLETTE

Dialogues de bêtes

PRÉFACE DE FRANCIS JAMMES

MERCURE DE FRANCE

PRÉFACE

Madame,

Il semble parfois que l'on naisse. On regarde. On distingue alors une chose dont le dessous des pieds a l'air d'un as de pique. La chose dit : oua-oua. *Et c'est un chien. On regarde à nouveau. L'as de pique devient un as de trèfle. La chose dit :* pfffffff. *Et c'est un chat.*

C'est là toute l'histoire du monde visible et, en particulier, de Toby-Chien et de Kiki-la-Doucette, mes filleuls. Ils sont si naturels — *j'emploie* naturels *dans le sens applicable aux sauvages de l'Océanie — que toutes leurs attitudes concourent à une proposition très simple de l'existence. Ce sont des animaux dans toute la force du terme, des* animos, *si j'ose employer la vraie orthographe, capables de s'écrier, comme ceux de Faust :*

> Il ne connaît pas le pot,
> Le pot à faire la soupe!
> Vit-on jamais pareil sot?

Donc, Madame, vous les avez situés où il fallait qu'ils fussent : dans le paradis terrestre qu'est l'appartement de M. Willy. Le caoutchouc et le palmier probables de votre salon donnent, toutes proportions gardées, l'impression de la violente flore édénique, et expliquent par quel transformisme leurs feuilles vont permettre à M. Gaston Deschamps — critique d'un " Temps " plus que passé — d'annoncer aux savanes (où il tutoya Chateaubriand) et au Collège de France, combien il peut aimer et comprendre un vrai poète.

Car vous êtes un vrai poète, et je veux affirmer cela volontiers sans m'inquiéter davantage de la légende dont les Parisiens ont coutume d'entourer chaque célébrité. Ils n'admirent point tant Gauguin et Verlaine pour ce qu'ils ont fait de génial que pour ce qu'ils eurent d'excentricité. De telle manière que certains, qui ne connaissent point le sentimentalisme sans nom, l'ordre, la pureté, les mille vertus intérieures qui vous guident, s'obstinent à répéter que vous portez les cheveux courts et que Willy est chauve.

Il faut donc que moi, qui vis à Orthez, j'apprenne au Tout-Paris qui vous êtes, et que je vous présente à tous ceux qui vous connaissent, moi qui ne vous ai jamais vue?

Je dis donc que Mme Colette Willy n'eut jamais les cheveux courts ; qu'elle ne s'habille point en homme ; que son chat ne l'accompagne pas au concert ; que la chienne de son amie ne boit pas dans un verre à pied. Il est inexact que Mme Colette Willy travaille dans une cage à écureuil et qu'elle fasse du trapèze et des anneaux de telle sorte qu'elle touche, du pied, sa nuque.

Mme Colette Willy n'a jamais cessé d'être la femme bourgeoise *par excellence qui, levée à l'aube, donne de l'avoine au cheval, du maïs aux poules, des choux aux lapins, du séneçon au serin, des escargots aux canards, de l'eau de son aux porcs. A huit heures, été comme hiver, elle prépare le café au lait de sa bonne, et le sien. Il ne se passe guère de journée où elle ne médite sur ce livre admirable :*

LA MAISON RUSTIQUE
DES DAMES
par
Mme Millet-Robinet.

Le rucher, le verger, le potager, l'étable, la basse-cour, la serre n'ont plus de secrets pour Mme Colette Willy. Elle a refusé, dit-on, de livrer son secret pour la destruction des courtilières à un grand homme d'État qui la priait à genoux.

Mme Colette Willy n'est rien d'autre qui ne soit pas ce que je viens d'écrire. Je sais que, pour l'avoir rencontrée dans le monde, certains s'obstinèrent à la compliquer. Pour un peu lui eussent-ils prêté les goûts des plus arriérés symbolistes. Et l'on sait combien déplaisantes furent ces robes de Muses, odieux ces bandeaux qui déversaient leur jaune sur des faces en coque d'œuf. Robes et bandeaux sont aujourd'hui relégués dans les tiroirs du Capitole de Toulouse, d'où l'on ne les tirera plus que pour hurler des alexandrins officiels en l'honneur de M. Gaston Deschamps, de Jaurès ou de Vercingétorix.

Mme Colette Willy se lève aujourd'hui sur le monde des Lettres comme la poétesse — enfin! — qui, du bout de sa bottine, envoie rouler du haut en bas du Parnasse toutes les muses fardées, laurées, cothurnées et lyrées qui, de Monselet à Renan, soulevèrent les désirs des classes de seconde et de rhétorique. Elle est gentille ainsi, nous présentant son bull bringé et son chat avec autant d'assurance que Diane son lévrier ou qu'une Bacchante son tigre.

Voyez sa joue en pomme, ses yeux en myosotis, sa lèvre en pétale de coquelicot et sa grâce de chèvrefeuille! Dites-moi si cette façon de s'appuyer à la verte barrière de son enclos, ou de s'étendre sous la tonnelle bourdonnante de grand Été, ne vaut pas la manière

*compassée que ce vieux magistrat de Vigny, cravaté
à triple tour et roidi par des sous-pieds, imposait à
ses déesses? Mme Colette Willy* est une femme
vivante, une femme *pour tout de bon, qui a osé être
naturelle et qui ressemble beaucoup plus à une petite
mariée villageoise qu'à une littératrice perverse.*

*Lisez son livre, et vous verrez combien ce que j'ai
avancé* peut être exact. *Il a plu à Mme Colette Willy
de ramener à deux charmants petits animaux tout
l'arôme des jardins, toute la fraîcheur des prairies,
toute la chaleur de la route départementale, tous les
émois de l'homme... Tous les émois... Car, à travers
ce rire d'écolière qui sonne dans la forêt, je vous dis
que j'entends sangloter une source. On ne se penche
point vers un caniche ou un matou sans qu'une sourde
angoisse ne vous feutre le cœur. On ressent, à se
comparer à eux, tout ce qui vous en sépare et tout ce
qui vous en approche.*

*Dans l'œil du chien règne la tristesse d'avoir, dès les
premiers jours de la Création, léché en vain le fouet de
son irréductible bourreau. Car rien n'a attendri
l'homme, ni la proie que lui rapporte un épagneul
affamé ni l'humble innocence dont un labri veille sous
les étoiles l'obscure douceur des troupeaux.*

Dans le regard du chat luit un tragique effroi. "Que vas-tu me faire encore?" semble-t-il demander, couché sur le fumier où le ronge la gale et le creuse le besoin de manger. Et, fiévreux, il attend qu'un nouveau supplice ébranle son système nerveux.

... Mais n'ayez crainte... Mme Colette Willy est très bonne. Elle a vite fait de dissiper les terreurs ataviques de Toby-Chien et de Kiki-la-Doucette. Elle améliore la race, tellement que chats et chiens finiront par comprendre qu'il est moins ennuyeux de fréquenter un poète qu'un candidat malheureux au Collège de France, ce candidat eût-il démontré plus copieusement encore que l'auteur des Mémoires d'outre-tombe a décrit sens dessus dessous la mâchoire des crocodiles.

Toby-Chien et Kiki-la-Doucette savent bien que leur maîtresse est une dame qui ne ferait de mal ni à un morceau de sucre ni à une souris; une dame qui saute, pour nous ravir, à une corde qu'elle a tressée avec des mots en fleurs qu'elle ne froisse jamais et dont elle nous parfume; une dame qui chante avec la voix d'un pur ruisseau français la triste tendresse qui fait battre si vite le cœur des bêtes.

FRANCIS JAMMES

A Rachilde

PERSONNAGES

Kiki-la-Doucette, *chat des Chartreux.*

Toby-Chien, *bull bringé.*

Lui,
Elle, } *seigneurs de moindre importance.*

SENTIMENTALITÉS

Le perron au soleil. La sieste après déjeuner. Toby-Chien et Kiki-la-Doucette gisent sur la pierre brûlante. Un silence de dimanche. Pourtant, Toby-Chien ne dort pas, tourmenté par les mouches et par un déjeuner pesant. Il rampe sur le ventre, le train de derrière aplati en grenouille, jusqu'à Kiki-la-Doucette, fourrure tigrée immobile.

Toby-Chien. — Tu dors?

Kiki-la-Doucette, *ronron faible*. — ...

Toby-Chien. — Vis-tu seulement? Tu es si plat! Tu as l'air d'une peau de chat vide.

Kiki-la-Doucette, *voix mourante*. — Laisse...

Toby-Chien. — Tu n'es pas malade?

Kiki-la-Doucette. — Non... laisse-moi. Je dors. Je ne sais plus si j'ai un corps. Quel tourment de vivre près de toi! J'ai mangé, il est deux heures... dormons.

Toby-Chien. — Je ne peux pas. Quelque

chose fait boule dans mon estomac. Cela va
descendre, mais lentement. Et puis ces mouches,
ces mouches!... La vue d'une seule tire mes
yeux hors de ma tête. Comment font-elles?
Je ne suis que mâchoires hérissées de dents
terribles (entends-les claquer!) et ces bêtes
damnées m'échappent. Hélas! mes oreilles!
hélas! mon tendre ventre bistré! ma truffe
enfiévrée!... Là! juste sur mon nez, tu vois?
Comment faire? je louche tant que je peux...
Il y a deux mouches maintenant? Non, une
seule... Non, deux... Je les jette en l'air comme
un morceau de sucre. C'est le vide que je happe...
Je n'en puis plus. Je déteste le soleil, et les
mouches, et tout!...

Il gémit.

Kiki-la-Doucette, *assis, les yeux pâles de
sommeil et de lumière.* — Tu as réussi à m'éveiller.
C'est tout ce que tu voulais, n'est-ce pas? Mes
rêves sont partis. A peine sentais-je, à la surface
de ma fourrure profonde, les petits pieds
agaçants de ces mouches que tu poursuis. Un
effleurement, une caresse parfois ridait d'un
frisson l'herbe inclinée et soyeuse qui me revêt...
Mais tu ne sais rien faire discrètement; ta joie

populacière encombre, ta douleur cabotine gémit. Méridional, va!

TOBY-CHIEN, *amer*. — Si c'est pour me dire ça que tu t'es réveillé!...

KIKI-LA-DOUCETTE, *rectifiant*. — Que tu m'as réveillé.

TOBY-CHIEN. — J'étais mal à l'aise, je quêtais une aide, une parole encourageante...

KIKI-LA-DOUCETTE. — Je ne connais point de verbes digestifs. Quand je pense que, de nous deux, c'est moi qui passe pour un sale caractère! Mais rentre un peu en toi-même, compare! La chaleur t'excède, la faim t'affole, le froid te fige...

TOBY-CHIEN, *vexé*. — Je suis un sensitif.

KIKI-LA-DOUCETTE. — Dis : un énergumène.

TOBY-CHIEN. — Non, je ne le dirai pas. Toi, tu es un monstrueux égoïste.

KIKI-LA-DOUCETTE. — Peut-être. Les Deux-Pattes — ni toi — n'entendent rien à l'égoïsme, à celui des Chats... Ils baptisent ainsi, pêle-mêle, l'instinct de préservation, la pudique réserve, la dignité, le renoncement fatigué qui nous vient de l'impossibilité d'être compris par eux. Chien peu distingué, mais dénué de parti pris, me comprendras-tu mieux? Le Chat est un hôte et non un jouet. En vérité, je ne sais en quel temps nous vivons! Les Deux-Pattes, Lui et Elle, ont-ils seuls le droit de s'attrister, de se réjouir, de lapper les assiettes, de gronder, de promener par la maison une humeur capricieuse? J'ai, moi aussi, MES caprices, MA tristesse, mon appétit inégal, mes heures de retraite rêveuse où je me sépare du monde...

TOBY-CHIEN, *attentif et consciencieux*. — Je t'écoute, et je te suis avec peine, car tu parles compliqué et un peu au-dessus de ma tête. Tu m'étonnes. Ont-Ils coutume de contrarier ta changeante humeur? Tu miaules : on t'ouvre la porte. Tu te couches sur le papier, le papier sacré qu'Il gratte : Il s'écarte, ô merveille, et te livre sa page déjà salie. Tu déambules, le nez froncé, la queue en balancier agitée de secs mouvements, visiblement en quête de méfaits : Elle t'observe, rit, et Il annonce : " la Promenade de dévastation ". Alors? D'où vient que tu récrimines?

KIKI-LA-DOUCETTE, *de mauvaise foi*. — Je ne récrimine pas. D'ailleurs, les subtilités psychologiques te demeureront à jamais étrangères.

Toby-Chien. — Ne parle pas si vite. Il me faut le temps de comprendre... Il me semble...

Kiki-la-Doucette, *narquois* — Ne te presse pas : ta digestion en pourrait pâtir.

Toby-Chien, *fermé à l'ironie*. — Tu as raison. J'ai de la peine à m'exprimer aujourd'hui. Voici : il me semble que, de nous deux, c'est toi qu'on choie; et, cependant, c'est toi qui te plains.

Kiki-la-Doucette. — Logique de chien!... Plus on me donne, plus je demande.

Toby-Chien. — C'est mal! C'est de l'indiscrétion.

Kiki-la-Doucette. — Non; j'ai droit à tout.

Toby-Chien. — A tout? Et moi?

Kiki-la-Doucette — Tu ne manques de rien, j'imagine?

Toby-Chien. — De rien? Je ne sais. Aux moments où je suis le plus heureux, une envie de pleurer me serre les côtes, mes yeux se troublent... Mon cœur m'étouffe. Je voudrais, à ces minutes d'angoisse, être sûr que tout ce qui vit m'aime, qu'il n'y a nulle part dans le monde un chien triste derrière une porte, et qu'il ne viendra jamais rien de mauvais...

KIKI-LA-DOUCETTE, *goguenard*. — Et alors, il arrive quoi de mauvais?

TOBY-CHIEN. — Ah! tu ne l'ignores pas! C'est fatalement à cette heure qu'Elle survient, portant une fiole jaune où nage l'horreur... tu sais... l'huile de ricin! Perverse, insensible, Elle me maintient entre ses genoux vigoureux, desserre mes dents.

KIKI-LA-DOUCETTE. — Serre-les mieux.

TOBY-CHIEN. — Mais j'ai peur de lui faire mal... et ma langue épouvantée connaît enfin la fadeur visqueuse... Je suffoque, je crache. Ma pauvre figure convulsée agonise, — et la fin de ce supplice est longue à venir... Tu m'as vu, après, me traîner mélancolique, la tête basse, écoutant dans mon estomac le glouglou malsain de l'huile, et cacher dans le jardin ma honte...

KIKI-LA-DOUCETTE. — Tu la caches si mal!

TOBY-CHIEN. — C'est que je n'en ai pas toujours le temps.

KIKI-LA-DOUCETTE. — Elle a voulu — j'étais

petit — me purger avec l'huile. Je l'ai si bien griffée et mordue qu'Elle n'a pas recommencé. Elle a cru, une minute, tenir le démon sur ses genoux. Je me suis roulé en spirale, j'ai soufflé du feu, j'ai multiplié mes vingt griffes par cent, mes dents par mille, et j'ai fui, comme par magie.

TOBY-CHIEN. — Je n'oserais pas. Je l'aime, tu comprends. Je l'aime assez pour lui pardonner même le supplice du bain.

KIKI-LA-DOUCETTE, *intéressé*. — Oui? dis-moi ce que tu ressens. La vue seule de ce qu'Elle te fait dans l'eau me remplit de frissons.

TOBY-CHIEN. — Hélas!... Écoute, et plains-moi. Quelquefois, lorsqu'Elle est sortie de son bassin de zinc, vêtue de sa peau toute seule, — une peau sans poils et douce que je lèche avec respect, — Elle ne remet pas tout de suite ses peaux de linge et d'étoffe. Elle reverse de l'eau chaude, y jette une brique brune qui sent le goudron et dit : " Toby! " Cela suffit; mon âme me quitte déjà. Mes jambes flageolent. Quelque chose, sur l'eau, brille, qui danse et m'aveugle, une image en forme de fenêtre tortillée... Elle me saisit, pauvre corps évanoui que je suis, et me plonge... Dieux!... Dès lors je ne sais plus rien... je n'espère qu'en Elle, mes yeux s'attachent aux siens, durant qu'une tiédeur étroite colle à moi, épiderme sur mon épiderme...

Brique mousseuse, odeur de goudron, eau piquante dans mes yeux, dans mes narines, naufrage de mes oreilles... Elle s'excite, Elle m'étrille d'un cœur allègre, ahanne, rit... Enfin, c'est le sauvetage, le repêchage par la nuque, pattes battant l'air et cherchant la vie; — la serviette rude, le peignoir où je goûte une convalescence épuisée...

KIKI-LA-DOUCETTE, *impressionné au fond*. — Remets-toi.

TOBY-CHIEN. — Dame, rien que de le raconter... Mais toi-même, si narquoisement curieux de mes malheurs, ne m'es-tu pas apparu, un jour, terrassé sur une table de toilette, au-dessous d'Elle qui, armée d'une éponge...

KIKI-LA-DOUCETTE, *très gêné, queue battante*. — Une vieille histoire! Ma culotte de zouave était salie. Elle a voulu la nettoyer. Je l'ai persuadée que je souffrais atrocement sous l'éponge...

TOBY-CHIEN. — Que tu es menteur! Elle t'a cru?

KIKI-LA-DOUCETTE. — Heu... pas tout le temps. C'est de ma faute. Renversé sur le dos, j'offrais le ventre candide, les yeux pardonnants et terrifiés d'un agneau à l'autel. Je perçus, à travers ma culotte floconneuse, un fraîchissement à peine!... puis rien d'autre... l'épouvante me prit, je craignis ma sensibilité abolie... Mes gémissements rythmiques s'enflèrent, puis décrurent — tu connais la puissance de ma voix! — puis montèrent encore comme une clameur marine : j'imitai le petit veau, l'enfant fouetté, la chatte en amour, le vent sous la porte, grisé peu à peu de mon propre chant... Si bien qu'Elle avait depuis longtemps fini de me souiller d'eau froide, et que je gémissais encore, les yeux au plafond, devant Elle, qui riait sans tact et criait : " Tu es menteur comme une femme! "

TOBY-CHIEN, *convaincu*. — Ça, c'est embêtant.

KIKI-LA-DOUCETTE. — Je lui en ai voulu pendant toute une après-midi.

TOBY-CHIEN. — Oh! pour bouder, tu t'en acquittes. Moi, je ne peux jamais. J'oublie les injures.

Kiki-la-Doucette, *pince-sans-rire*. — Et tu
lèches la main qui te frappe. Connu!

Toby-Chien, *gobeur*. — Je lèche la main qui...
Oui, c'est tout à fait comme tu dis. C'est une
jolie expression.

Kiki-la-Doucette. — Elle n'est pas de moi.
La dignité ne t'étouffe pas. Ma parole! souvent
j'ai honte pour toi. Tu aimes tout le monde, tu
accueilles d'un derrière plat toutes les rebuffades,
ton cœur est avenant et banal comme un jardin
public.

Toby-Chien. — N'en crois rien, mal élevé.
Tu te trompes, toi, l'infaillible, — aux manifes-
tations de ma politesse. Voyons, franchement,
veux-tu que je gronde aux mollets de ses amis à
Lui, de ses amis à Elle? Des gens bien vêtus qui
savent mon nom (il y a beaucoup de gens que
je ne connais pas qui savent mon nom) et me
tirent bonnement les oreilles?

Kiki-la-Doucette. — Je hais les nouveaux
visages.

Toby-Chien. — Je ne les aime pas non plus,
quoi que tu dises. J'aime... Elle et Lui.

Kiki-la-Doucette. — Moi, j'aime Lui... et
Elle.

Toby-Chien. — Oh! il y a longtemps que j'ai
deviné ta préférence. Il y a, entre toi et Lui, une
espèce d'entente secrète...

Kiki-la-Doucette, *souriant, mystérieux et
abandonné*. — Une entente... oui. Secrète et
pudique, et profonde. Il parle rarement, gratte
le papier avec un bruit de souris. C'est à lui que
j'ai donné mon cœur avare, mon précieux cœur
de chat. Et Lui, sans paroles m'a donné le sien.
L'échange m'a fait heureux et réservé, et parfois,
avec ce bel instinct capricieux et dominateur qui
nous fait les rivaux des femmes, j'essaie sur lui
mon pouvoir. A Lui, quand nous sommes seuls,
les oreilles diaboliques pointées en avant, qui
présagent le bond sur son papier-à-gratter! A
Lui le táp-tap-tap des pattes tambourinantes à
plat au travers des plumes et des lettres éparses!
A Lui aussi le miaulement insistant qui demande
la liberté, — " l'Hymne au bouton de porte ",
dit-il en riant; ou encore " la Plainte du séquestré ". Mais à Lui seul aussi la contemplation
tendre de mes yeux inspirateurs qui pèsent sur sa
tête penchée, jusqu'à ce que son regard appelé
cherche et rencontre le mien dans un choc
d'âmes si prévu et si doux que je clos mes
paupières sous une honte exquise... Elle...

s'agite trop, me bouscule souvent, me vanne dans l'air pattes réunies deux par deux, s'énerve à me caresser, rit haut de moi, imite trop bien ma voix...

Toby-Chien, *ému d'indignation*. — Je te trouve difficile. Assurément, je l'aime, Lui, qui est bon, qui détourne les yeux de mes fautes pour n'avoir pas à me gronder. Mais Elle! C'est ce que je vois au monde de plus beau, de plus cher, et de plus incompréhensible. Son pas m'enchante, ses yeux variables me dispensent le bonheur et la tristesse. Elle est pareille au Destin et n'hésite jamais! Les tourments même, de sa main... Tu sais comme Elle me taquine?

Kiki-la-Doucette. — Durement.

Toby-Chien. — Non pas durement, mais finement. Je ne puis rien prévoir. Ce matin, Elle s'est penchée comme pour me parler, a soulevé mon oreille de petit éléphant, et a jeté dedans un cri pointu qui est descendu au fond de ma cervelle...

Kiki-la-Doucette. — Horreur!...

Toby-Chien. — Était-ce bon? Était-ce mau-

vais? Maintenant encore j'hésite. Cela a déchaîné
en moi une folie circulaire de nervosité...
Presque chaque jour, sa fantaisie exige que je
fasse le " poisson " : soulevé dans ses bras,
Elle étreint mes côtes jusqu'à la suffocation,
jusqu'à ce que ma bouche muette s'ouvre comme
celle des carpes qu'on noie dans l'air...

KIKI-LA-DOUCETTE. — Je la reconnais bien
là.

TOBY-CHIEN. — Soudain je me sens libre et
vivant, vivant par le miracle de sa seule volonté!
Que la vie alors me paraît belle! Comme je
mâchouille sa main pendante, l'ourlet de sa
robe!

KIKI-LA-DOUCETTE, *méprisant*. — Le joli jeu!

TOBY-CHIEN. — Tout le bien et tout le mal
me viennent d'Elle... Elle est le tourment aigu et
le sûr refuge. Lorsque, épouvanté, je me jette en
Elle, le cœur fou, que ses bras sont doux, et frais
ses cheveux sur mon front! Je suis son " enfant-
noir ", son " Toby-Chien ", son " tout petit
h'amour "... Pour me rassurer Elle s'assoit par
terre, se fait petite comme moi, se couche tout
à fait, pour m'enivrer de sa figure au-dessous de
la mienne, renversée dans sa chevelure qui sent

bon le foin et la bête! Comment résister alors?
Ma passion déborde, je la fouis d'une truffe
énervée, je cherche, trouve, mordille le bout
croquant et rose d'une oreille — Son oreille!
— jusqu'à ce qu'Elle crie, chatouillée : " Toby!
c'est terrible! au secours, ce chien me mange! "

KIKI-LA-DOUCETTE. — Saines joies, brutales
et simples... Et tu t'en vas, ensuite, faire la cour
à la cuisinière.

TOBY-CHIEN. — Et toi à la chatte de la
ferme...

KIKI-LA-DOUCETTE, *sec*. — Assez, je te prie,
ceci ne regarde que moi... et la petite Chatte.

TOBY-CHIEN. — Une jolie conquête! Tu
devrais rougir, une chatte de sept mois!

KIKI-LA-DOUCETTE, *excité*. — Un fruit vert,
une baie sauvage, te dis-je! Et personne ne me
la volera. Elle est svelte autant qu'une rame à
pois...

TOBY-CHIEN, *à part*. — Vieux polisson!

KIKI-LA-DOUCETTE. — ... Longue et balancée
sur de longues pattes, elle va du pas incertain des
vierges. Le dur travail des champs — elle y
chasse le mulot, la musaraigne, voire la perdrix

— a durci ses jeunes muscles, assombri un peu sa figure d'enfant...

Toby-Chien. — Elle est laide.

Kiki-la-Doucette. — Non point laide! mais bizarre : un museau de chèvre aux narines roses, coiffée d'oreilles d'âne à la mode paysanne, des yeux latéraux, couleur d'or ancien, dont le regard vif trébuche souvent dans un piquant strabisme... De quel cœur elle me fuit, confondant sa pudeur avec l'effroi! De mon côté, je passe lentement, on dirait indifférent, drapé dans ma robe splendide dont les rayures l'étonnent... Elle y viendra! A mes pieds, la petite Chatte enamourée, qui aura jeté toute contrainte et se roulera sous moi comme une écharpe blanche!...

Toby-Chien. — Moi, je veux bien, tu sais. Ici, les choses de l'amour me laissent relativement froid. L'exercice physique... mes soucis de gardien... je ne pense guère à la bagatelle.

Kiki-la-Doucette, *à part*. — La bagatelle! commis voyageur, va!

Toby-Chien, *sincère*. — Et puis je peux bien t'avouer... Tu vois comme je suis petit... Eh bien! par une guigne invraisemblable et pourtant vraie, je ne rencontre aux alentours que de

jeunes géantes. La chienne de la ferme, une
grande diablesse bâtarde aux yeux jaunes,
m'accueillerait comme elle accueille... n'importe
qui. Dévergondée, oh! ça... mais bonne fille,
odorante, et cette espèce de charme exténué et
canaille, ces regards affamés de louve douce...
Hélas!... je suis si petit... Chez les voisins, je
connais encore une danoise placide, vertigineuse
comme une alpe; une bergère qui n'a jamais le
temps à cause de son métier; une chienne
d'arrêt nerveuse qui mord tout à coup, mais
dont les yeux sauvages promettent l'ardeur...
Hélas, hélas! J'aime mieux n'y plus penser.
C'est trop fatigant. Revenir surmené et non
satisfait, battre la fièvre toute la nuit...
Assez...

J'aime... Elle et Lui, dévotement, d'une passion émue qui me grandit jusqu'à Eux; elle
suffit d'ailleurs à occuper mon temps et mon
cœur. L'heure de la sieste passe, Chat, mon méprisant ami, que j'aime pourtant, — et qui m'aimes.
Ne détourne pas la tête! Ta pudeur singulière
s'emploie à cacher ce que tu nommes faiblesse,
ce que je nomme amour. Crois-tu que je sois
aveugle? Lorsque je reviens avec Elle vers la
Maison, j'ai vu vingt fois, derrière la vitre, ta

figure triangulaire s'éclairer et sourire à mon approche. Le temps d'ouvrir la porte : tu avais déjà remis ton masque de chat, ton joli masque japonais aux yeux bridés... Peux-tu le nier?

Kiki-la-Doucette, *résolu à ne pas entendre*. — L'heure de la sieste passe. L'ombre conique des poiriers croît sur le gravier. Tout notre sommeil est parti en paroles. Tu as oublié les mouches, ton estomac inquiet, la chaleur qui danse en ondes sur les prés. Le beau jour lourd s'en va. Déjà l'air s'émeut, et courbe vers nous l'odeur des pins dont le tronc fond en larmes claires...

Toby-Chien. — La voici. Elle a quitté son fauteuil de paille, étiré ses bras gracieux, et je lis l'espoir d'une promenade dans le mouvement de sa robe. Tu la vois, derrière les rosiers? Elle casse de l'ongle une feuille de citronnier, la froisse et la respire... Je lui appartiens. Les yeux fermés, je devine sa présence...

Kiki-la-Doucette. — Je la vois. Elle est tranquille et douce... pour un instant. Je sais surtout qu'Il la suivra de près, en quittant son papier; Il sortira en l'appelant : " Où es-tu? " et s'assoira, fatigué, sur le banc. Pour Lui, je me lèverai avec politesse et j'irai carder de mes

ongles la jambe de son pantalon. Silencieux,
pareils, heureux, nous écouterons tomber le
jour. L'odeur du tilleul deviendra sucrée jusqu'à
l'écœurement, à l'heure même où mes yeux de
voyant s'agrandiront, noirs, et liront dans l'air
des Signes mystérieux... Là-bas, derrière la
montagne pointue, un calme incendie, plus tard,
s'allumera, une vapeur ronde, d'un rose glacé
dans le bleu cendreux de la nuit, un cocon
lumineux d'où éclora le tranchant éblouissant
d'une lune coupante qui voguera, fendant les
nuages... Et puis, ce sera le moment d'aller
dormir. Il me prendra sur son épaule, et je
dormirai (car ce n'est pas la saison de l'amour)
sur son lit, contre ses pieds soigneux de mon
repos. Mais le petit matin me verra frissonnant,
rajeuni, assis face au soleil, dans le nimbe
d'argent dont m'encense la rosée, et semblable,
en vérité, au dieu que je fus.

LE VOYAGE

Dans un compartiment de 1re classe, Kiki-la-Doucette, Toby-Chien, Elle et Lui ont pris place. Le train roule vers les lointaines montagnes, vers l'été libre. Toby-Chien, en laisse, lève vers la vitre un nez affairé. Kiki-la-Doucette, invisible dans un panier clos, sous l'immédiate protection de Lui, se tait. Lui a déjà jonché le wagon de vingt journaux déployés. Elle rêve, tête appuyée au drap poussiéreux, et sa pensée s'élance au-devant de la montagne entre toutes aimée, celle qui porte une maison basse tapie sous la vigne et le jasmin de Virginie...

TOBY-CHIEN. — Comme cette voiture va vite! Ce n'est pas le même cocher que d'habitude. Je n'ai pas vu les chevaux, mais ils sentent bien mauvais et fument noir. Arrivera-t-on bientôt, ô Toi qui rêves silencieuse et ne me regardes pas?

> *Point de réponse. Toby-Chien s'énerve et siffle par les narines.*

ELLE. — Chut!...

TOBY-CHIEN. — Je n'ai presque rien dit. Arriverons-nous bientôt?

> *Il se tourne vers Lui, qui lit, et pose une patte discrète au bord de son genou.*

LUI. — Chut!...

TOBY-CHIEN, *résigné*. — Je n'ai pas de chance. Personne ne veut me parler. Je m'ennuie un peu, et puis je ne connais pas assez cette voiture. Je suis fatigué. On m'a éveillé de bonne heure, et je me suis diverti à courir par toute la maison. On avait caché les fauteuils sous des draps, emmailloté les lampes, roulé les tapis; tout était blanc, changé, angoissant, avec une funèbre odeur de camphre. J'ai éternué sous chaque fauteuil, les yeux pleins d'eau, et glissé sur le parquet nu, dans ma hâte à suivre le tablier blanc des bonnes. Car elles s'agitaient autour des malles semées partout, et leur zèle inusité suffisait à m'avertir d'un événement exceptionnel... A la dernière minute, juste comme Elle criait, toute chaude de mouvement : " Le collier de Toby! Et le panier du chat, vite le chat dans le panier!... ", juste comme Elle disait cela... mon camarade disparut. Ce fut indescrip-

tible. Lui, terrible à voir, jurait le tonnerre de
Dieu et frappait de la canne sur le parquet,
furieux parce qu'on avait laissé son Kiki s'évader.
Elle appelait " Kiki! " tantôt avec prière, tantôt
avec menace, et les deux bonnes apportaient de
trompeuses assiettes vides, des papiers jaunes de
la boucherie... Je crus fermement que mon
camarade le Chat avait quitté ce monde! Soudain
il apparut à tous les yeux, juché au plus haut de
la bibliothèque, et nous méprisant de son regard
vert. Elle leva les bras : " Kiki! veux-tu descendre tout de suite! Tu vas nous faire manquer le
train! " Il ne descendit point, et je pris le vertige,
moi par terre, à le voir si haut se tenir debout, et
piétiner, et tourner sur lui-même, en miaulant
aigu pour exprimer l'impossibilité où il se
trouvait d'obéir. Lui s'affolait, disant : " Mon
Dieu, il va tomber! " Mais Elle sourit, sceptique,
sortit et revint armée du fouet... Le fouet dit :
" Clac! " deux fois seulement, et par miracle,
je pense, le chat bondit sur le parquet, plus mol
et plus élastique que la balle de laine qui nous
sert de joujou. Moi je me serais cassé en
tombant.

Depuis il est dans ce panier... *(Il va au panier.)*
Il y a une petite lucarne... Je le vois... Des pointes

de moustaches comme des aiguilles blanches...
Oh! quel œil! Reculons... j'ai un peu peur. Un
chat n'est jamais tout à fait enfermé... Il doit
souffrir. Peut-être qu'en lui parlant doucement...
(*Il l'appelle, très courtois.*) Chat!

KIKI-LA-DOUCETTE, *crachement de fauve*. —
Khhh...

TOBY-CHIEN, *un pas en arrière*. — Oh! tu as dit
un vilain mot. Ta figure est terrible. Tu as mal
quelque part?

KIKI-LA-DOUCETTE. — Va-t'en. Je suis le
martyr... Va-t'en, te dis-je, ou je souffle du feu
sur toi!

TOBY-CHIEN, *candide*. — Pourquoi?

KIKI-LA-DOUCETTE. — Parce que tu es libre,
parce que je suis dans ce panier, parce que le
panier est dans une voiture infecte et qui me
secoue, et que leur sérénité à Eux m'exaspère.

TOBY-CHIEN. — Veux-tu que j'aille regarder
dehors et que je te raconte ce qu'on voit par la
portière de la voiture?

KIKI-LA-DOUCETTE. — Tout m'est également
odieux.

Toby-Chien, *après avoir regardé, revient.* — Je n'ai rien vu...

Kiki-la-Doucette, *amer.* — Merci tout de même.

Toby-Chien. — Je n'ai rien vu qui soit facile à décrire. Des choses vertes, qui passent tout contre nous, si près et si vite qu'on en reçoit une claque dans les yeux. Un champ plat qui tourne et un petit clocher pointu, là-bas, qui court aussi vite que la voiture... Un autre champ, tout incarnat de trèfle en fleur, vient de me donner dans l'œil une autre gifle rouge... La terre s'enfonce, — ou bien nous montons, je ne sais pas au juste. Je vois, tout en bas, très loin, des pelouses vertes, étoilées de marguerites blanches, — qui sont peut-être des vaches...

Kiki-la-Doucette, *amer.* — Ou des pains à cacheter, — ou autre chose.

Toby-Chien. — Cela ne t'amuse pas?

Kiki-la-Doucette, *rire sinistre.* — Ha! demande au damné...

Toby-Chien. — A qui?

Kiki-la-Doucette, *de plus en plus mélodrama-*

tique, sans aucune conviction. — ...au damné, dans sa cuve d'huile bouillante, s'il éprouve quelque agrément! Mes tortures à moi sont morales. Je connais à la fois la séquestration, l'humiliation, l'obscurité, l'oubli et le tangage.

> *Le train s'arrête. Un employé sur le quai : " Aoua, aouaoua, éouau... ouain! "*

Toby-Chien, *éperdu.* — On crie! il y a un malheur! Courons!

> *Il se jette, museau en avant, contre la portière fermée qu'il gratte désespérément.*

Elle, *ensommeillée.* — Mon petit Toby, tu es bassin.

Toby-Chien, *affolé.* — Que fais-tu à rester tranquille et assise, ô Toi, l'inexplicable? N'entends-tu pas ces cris? Ils s'affaiblissent... Le malheur est allé plus loin. J'aurais voulu savoir...

> *Le train repart.*

Lui, *quittant son journal.* — Cette bête a faim.

Elle, *très éveillée à présent.* — Tu crois? Moi aussi. Mais Toby mangera très peu.

Lui, *inquiet*. — Et Kiki-la-Doucette?

Elle, *péremptoire*. — Kiki-la-Doucette boude. Il s'est caché ce matin. Il mangera encore moins.

Lui. — Il ne dit rien. Tu ne crains pas qu'il soit malade?

Elle. — Non, mais vexé.

Kiki-la-Doucette, *dès qu'il s'agit de lui*. — Mouân!

Lui, *tendre et empressé*. — Venez, mon beau Kiki, mon séquestré, venez, vous aurez du roastbeef froid et du blanc de poulet...

> *Il ouvre le panier-geôle. Kiki-la-Doucette avance une tête plate de serpent, un corps rayé, précautionneux et long, long à croire qu'il en sortira comme ça des mètres...*

Toby-Chien, *amène*. — Ah! te voilà, Chat! Eh bien, salue la liberté!

> *Kiki-la-Doucette, sans répondre, lisse de la langue quelques soies rebroussées.*

Toby-Chien. — Salue la liberté, je te dis. C'est l'usage. Chaque fois qu'on ouvre une

porte, on doit courir, sauter, se tordre en demi-
cercle et crier.

Kiki-la-Doucette. — On? qui, on?

Toby-Chien. — Nous, les Chiens.

Kiki-la-Doucette, *assis et digne*. — Faudra-
t-il aussi que j'aboie? Nous n'avons jamais eu
le même code des convenances, que je sache.

Toby-Chien, *vexé*. — Je n'insiste pas.
Comment trouves-tu cette voiture?

Kiki-la-Doucette, *qui flaire minutieusement*.
— Affreuse. Cependant le drap est assez bon
pour faire ses ongles.

> *Il joint le geste à la parole et carde
> le capitonnage.*

Toby-Chien, *à part*. — Si je faisais ça, moi...

Kiki-la-Doucette, *continuant à carder*. —
Han! Han! que ce spongieux drap gris étanche
ma rage!... Depuis ce matin l'univers se révolte
monstrueusement, et Lui, Lui que j'aime, et qui
me vénère, ne m'a pas défendu. J'ai subi des
contacts humiliants, des cahots, et plus d'un
coup de sifflet a traversé ma cervelle d'une

oreille à l'autre... Han! il est doux de détendre ses nerfs et d'imaginer qu'on effiloche d'une griffe allègre la chair ennemie, fibreuse et saignante... Han! cardons et steppons! Levons les pattes trop haut en signe suprême d'insolence!...

ELLE. — Dis donc, Kiki, c'est fini?

LUI, *indulgent et admiratif*. — Laisse-le. Il fait z'ongles.

KIKI-LA-DOUCETTE. — Il a parlé pour moi. Je lui pardonne. Mais puisqu'on me permet, je n'aime plus déchirer le coussin... Quand sortirai-je d'ici? Ce n'est pas que j'aie peur. Ils sont là tous deux, et le Chien, avec des figures de tous les jours... J'ai des tiraillements d'estomac.

> *Il bâille. Le train s'arrête, un employé sur le quai : " Aaa, oua... aouaoua, oua... "*

TOBY-CHIEN, *éperdu*. — On crie! Il y a encore un malheur! Courons!...

KIKI-LA-DOUCETTE. — Mon Dieu, que ce chien est fatigant! Qu'est-ce que ça peut lui faire, qu'il y ait un malheur? D'ailleurs, je n'en crois rien. Ce sont des cris d'homme, et les hommes crient pour le seul plaisir d'entendre leur voix...

TOBY-CHIEN, *calmé*. — J'ai faim. Va-t-on manger, ô Toi, de qui j'espère tout? Dans cet étrange pays, je ne sais plus l'heure, mais il me semble bien...

ELLE. — Venez tous déjeuner.

> *Elle déballe des couverts, froisse des papiers, rompt un pain doré qui craque...*

TOBY-CHIEN, *mâchant*. — Ce qu'elle m'a donné là devait être bien bon pour sembler si petit. Cela a fondu dans ma gueule, il n'en reste pas un souvenir...

KIKI-LA-DOUCETTE, *mâchant*. — C'est du blanc de poulet. Frrrr... Allons, bon! je fais ronron sans m'en apercevoir! Il ne faut pas. Ils croiraient que je me résigne à ce voyage... Mangeons lentement, farouche et désabusé, mangeons uniquement pour ne mourir point...

ELLE, *aux animaux*. — Laissez-moi déjeuner! Moi aussi, j'aime le poulet froid, et les cœurs de laitue trempés dans le sel...

Lui, *inquiet*. — Comment fera-t-on pour obliger ce Chat à réintégrer son panier?

Elle. — Je ne sais pas, nous verrons tout à l'heure...

Toby-Chien. — C'est déjà fini? J'en avalerais trois fois autant. Dis donc, Chat, tu ne manges pas mal pour un martyr.

Kiki-la-Doucette, *mentant*. — Le chagrin me creuse. Écarte-toi un peu, je veux à présent dormir... essayer de dormir... Un rêve clément, peut-être, me ramènera à la maison que j'ai quittée, au coussin fleuri que Lui m'a donné... Home! sweet home! Tapis colorés à souhait pour le plaisir de mes yeux! Potiche vaste d'où jaillit un petit palmier dont je mange les pousses, fauteuils profonds sous lesquels je cache ma balle de laine pour me faire une surprise... Bouchon suspendu par une ficelle au loquet de la porte, et bibelots sur les tables pour que ma patte s'y distraie à briser quelque cristal... Salle à manger, temple! Vestibule plein de mystère, d'où je guette, invisible, ceux qui entrent et ceux qui sortent... Escalier étroit où le pas du laitier sonne pour moi comme un angélus... Adieu, mon fatal destin m'emporte, et qui sait si jamais... Ah! c'est trop triste, et toutes les jolies choses que je dis m'ont attendri pour de vrai!

> *Il commence une toilette minutieuse et funèbre. Le train s'arrête. Un employé sur le quai : " Aaa... ouain. aouaoua... "*

TOBY-CHIEN. — On crie! Il y a un malh... Ah! zut, j'en ai assez.

LUI, *soucieux*. — Nous allons changer de train dans dix minutes. Comment faire pour le Chat? Il ne voudra jamais se laisser enfermer.

ELLE. — On verra. Si on mettait de la viande dans le panier?

LUI. — Ou bien en le caressant... *(Ils s'approchent de la bête redoutable et lui parlent ensemble.)* Kiki, mon beau Kiki, viens sur mes genoux ou sur mon épaule qui te plaît d'habitude. Tu t'y assoupiras et je te déposerai doucement dans ce panier, qui, en somme, est à claire-voie et dont un coussin rend confortable l'osier rude... Viens, mon charmant...

ELLE. — Écoute, Kiki, il faut pourtant comprendre la vie. Tu ne peux pas rester comme ça. Nous allons changer de train, et un employé épouvantable surgira, qui dira des choses blessantes pour toi et toute ta race. D'ailleurs, tu feras bien d'obéir, parce que, sans ça, je te ficherai une fessée...

> *Mais avant qu'on ait porté la main sur sa fourrure sacrée, Kiki se lève, s'étire, bombe le dos en pont, bâille pour montrer sa doublure rose, puis se dirige vers le panier ouvert, où il se couche, admirable de quiétude insultante. Lui et Elle se regardent et font une tête.*

Toby-Chien, *avec l'à-propos qui le caractérise.* — J'ai envie de faire pipi.

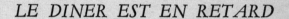

LE DINER EST EN RETARD

Un salon à la campagne. La fin d'une journée d'été. Kiki-la-Doucette, Toby-Chien dorment d'un somme peu convaincu, oreilles nerveuses, paupières obstinément serrées. Kiki-la-Doucette ouvre ses yeux presque horizontaux, couleur de raisin, et bâille d'une gueule féroce de petit dragon.

KIKI-LA-DOUCETTE, *hautain.* — Tu ronfles.

TOBY-CHIEN, *qui ne dormait pas pour de vrai.* — Non, c'est toi.

KIKI-LA-DOUCETTE. — Pas du tout. Moi, je fais ronron.

TOBY-CHIEN. — C'est la même chose.

KIKI-LA-DOUCETTE, *dédaignant la discussion.* — Dieu merci! non. *(Un silence.)* J'ai faim. On n'entend pas remuer les assiettes à côté. Est-ce qu'il n'est pas l'heure de dîner?

TOBY-CHIEN *se lève et étire longuement ses pattes de devant, les coudes en dehors; il bâille et darde une langue héraldique au bout frisé.* — Je ne sais pas. J'ai faim.

Kiki-la-Doucette. — Où est-Elle? Comment n'es-tu pas dans ses jupes?

Toby-Chien, *embarrassé, mordillant ses ongles.* — Elle est dans le jardin, je crois; Elle ramasse des mirabelles.

Kiki-la-Doucette. — Des boules jaunes qui pleuvent sur les oreilles? Je sais. Tu l'as donc vue? Elle t'a grondé, je parie... Qu'est-ce que tu as fait encore?

Toby-Chien, *gêné, détournant sa figure plissée de crapaud sympathique.* — Elle m'a dit de retourner au salon, parce que... parce que je mangeais aussi des mirabelles.

Kiki-la-Doucette. — C'est bien fait! Tu as des goûts ignobles, — des goûts d'homme.

Toby-Chien, *froissé.* — Dis donc, je ne mange pas du poisson gâté, moi!

Kiki-la-Doucette. — Tu lèches des choses plus dégoûtantes.

Toby-Chien. — Quoi, par exemple?

Kiki-la-Doucette. — Des choses... sur la route... pouah!

Toby-Chien. — Je comprends. Ça s'appelle des " sales ".

Kiki-la-Doucette. — Tu dois te tromper.

Toby-Chien. — Non. Quand j'en flaire *un*, un superbe et bien roulé, un sans défaut, Elle se précipite, l'ombrelle en l'air, et crie : " Sale! "

Kiki-la-Doucette. — Tu n'as pas honte?

Toby-Chien. — Pourquoi? Ces fleurs de la route plaisent à mon nez subtil, à ma langue gourmande. Ce que je ne comprendrai jamais, c'est ton épilepsie joyeuse sur les grenouilles mortes ou sur cette herbe, tu sais...

Kiki-la-Doucette. — La valériane.

Toby-Chien. — Peut-être bien... Une herbe, c'est pour purger.

Kiki-la-Doucette. — Je n'ai pas, comme toi, que des pensées excrémentielles. La valériane... tu ne peux pas comprendre... Je l'ai vue, Elle, pour avoir vidé une flûte de vin fétide qui saute dangereusement, rire et délirer comme je fais sur la valériane... La grenouille morte, si morte qu'elle semble un maroquin sec en forme de grenouille, c'est le sachet imprégné d'un musc rare, dont je voudrais embaumer ma fourrure...

Toby-Chien. — Tu parles bien... Mais Elle te gronde et dit qu'après tu sens mauvais, et Lui aussi.

Kiki-la-Doucette. — Ce ne sont que des Deux-Pattes, l'un et l'autre. Tu les imites, pauvre être, et te diminues d'autant. Tu te tiens debout sur tes pieds de derrière, tu portes un manteau lorsqu'il pleut, tu manges — fi! — des mirabelles et ces grosses boules vertes que laissent choir parfois les mains malveillantes des arbres, quand je passe dessous...

Toby-Chien. — Des pommes.

Kiki-la-Doucette. — Probablement. Elle les cueille et te les lance dans l'allée, en criant : " Pomme, Toby, pomme! " Et tu te rues avec des manières indécentes de fou, la langue et les yeux en dehors, jusqu'à perdre haleine...

Toby-Chien, *renfrogné, le museau sur ses pattes.* — Chacun prend son plaisir où il le trouve.

Kiki-la-Doucette, *bâillant, montre ses dents en aiguilles, le velours rose et sec de son palais.* — J'ai faim. Le dîner est sûrement en retard. Si tu allais la chercher?

TOBY-CHIEN. — Je n'ose pas. Elle m'a défendu de venir. Elle est là-bas au fond de la combe, avec un grand panier. La rosée tombe et mouille ses pieds, et le soleil s'en va. Mais tu sais comme Elle est : Elle s'assied dans le mouillé, regarde en avant d'Elle comme si Elle dormait; ou bien se couche à plat ventre, siffle, et suit une fourmi dans l'herbe; ou arrache une poignée de serpolet et la respire; ou appelle les mésanges et les geais, qui ne viennent jamais, d'ailleurs. Elle porte un arrosoir lourd, qu'Elle verse, en mille fils d'argent glacé qui me donnent le frisson, sur les roses ou dans le creux de ces petites auges de pierre au fond du bois. Tout de suite je m'y penche, pour voir la tête du bull bringé venir à ma rencontre, et pour y boire l'image des feuilles, mais Elle me tire en arrière par mon collier : " Toby, c'est l'eau des oiseaux! " Elle ouvre son couteau et vide des noisettes, cinquante noisettes, cent noisettes, — et oublie l'heure. Cela n'en finit pas.

KIKI-LA-DOUCETTE, *narquois*. — Et toi, pendant ce temps-là?

TOBY-CHIEN. — Moi... Eh bien! je l'attends.

KIKI-LA-DOUCETTE. — Je t'admire!

TOBY-CHIEN. — Quelquefois, accroupie, acharnée, Elle gratte la terre, peine, sue, et je m'anime tout autour, dans la joie d'une besogne utile qui m'est si familière. Mais son odorat faible la trompe; Elle fouit de faux terriers où je ne sens ni la taupe ni la musaraigne aux pattes rosées. Qui m'expliquera le peu de fermeté de ses desseins? Voilà qu'Elle tombe sur son derrière, brandissant une herbe à racine chevelue, et s'écrie : " Je la tiens, la rosse! " Je me couche dans le mouillé, et je tremble. Ou je pousse mon nez — Elle dit mon groin — contre la terre, pour y reconnaître des odeurs compliquées... Sais-tu seulement, toi, démêler trois, quatre odeurs embrouillées, tressées, fondues : une de taupe, une autre de lièvre qui a passé vite, une autre d'oiseau qui s'est couché...

KIKI-LA-DOUCETTE. — Oui, je le puis. Mon nez sait tout. Il est petit, régulier, large entre mes deux yeux, délicat au bout chamois de mes narines; le frôler d'une herbe, l'ombre de la fumée le chatouillent jusqu'à l'éternuement. Il ne s'emploie pas à démêler l'odeur des taupes enchevêtrée à celle des... lièvres, dis-tu? Mais je puis rester pendant des minutes à enivrer mon nez — Elle dit : " Son si joli nez en velours de

coton " — d'une trace de chatte contre les buis...
Mon nez est charmant. Il n'y a point de jour,
depuis que mes yeux sont ouverts, où l'on ne
m'ait dit sur mon nez quelque vérité flatteuse.
Le tien... C'est une truffe grenue. Et quelle
mobilité ridicule l'agite! Au moment même où
je te parle...

Toby-Chien. — J'ai faim. On n'entend pas
les assiettes.

Kiki-la-Doucette. — ... ta truffe se promène
sur ton visage et plisse d'un pli de plus ce
museau mal équarri...

Toby-Chien. — Elle dit : " Son museau carré,
sa truffe plissée " si tendrement!

Kiki-la-Doucette. — ... Et tu ne songes
qu'à la nourriture.

Toby-Chien. — Et toi, c'est ton estomac vide
qui grogne et se plaint et me querelle.

Kiki-la-Doucette. — Mon estomac est
charmant.

Toby-Chien. — Mais non, c'est ton nez, tu
l'as déjà dit.

Kiki-la-Doucette. — Mon estomac aussi. Il n'y en a pas de plus gourmet, de plus fantasque, de plus solide et délicat ensemble. Il digère des arêtes de sole, des esquilles d'os de poulet, mais la viande suspecte le retourne, — c'est à la lettre.

Toby-Chien. — A la lettre, en effet. Tu as l'indigestion mouvementée.

Kiki-la-Doucette. — Oui, toute la maison s'en émeut. C'est qu'aux premières affres de la nausée une grande détresse s'empare de moi, car la terre mollit sous mes pas. Les yeux dilatés, j'avale précipitamment une salive abondante et salée, tandis que m'échappent d'involontaires cris de ventriloque... Et puis voici que mes flancs houlent, autant et mieux que ceux de la chatte en gésine, et puis...

Toby-Chien, *dégoûté.* — Si ça t'est égal, tu me raconteras le reste après dîner.

Kiki-la-Doucette. — J'ai faim. Où est-il, Lui?

Toby-Chien. — Là. Dans son cabinet. Il gratte le papier.

Kiki-la-Doucette. — Oui, comme toujours.

C'est un jeu. Les Deux-Pattes s'amusent aux mêmes choses, indéfiniment. J'ai souvent essayé, comme Lui, de gratter finement le papier. Mais c'est un plaisir qui dure peu, et je préfère le journal déchiqueté en lambeaux nombreux, qui bruissent et volent. D'ailleurs, il y a sur sa table, à Lui, un petit pot dont je ne flaire pas sans horreur l'eau violette et bourbeuse, depuis qu'une curiosité assez inconsidérée me conduisit à y tremper la patte. Cette patte que tu vois, — aristocratique et forte, barbue, entre les doigts, d'un poil inutile qui proclame la pureté de ma race, — cette patte garda huit jours une souillure bleuâtre, et ne perdit que lentement la dégradante odeur de lame d'acier rongé de jus acide...

TOBY-CHIEN. — Cela sert à quoi, ce petit pot?

KIKI-LA-DOUCETTE. — Il y boit, sans doute.

Silence.

TOBY-CHIEN. — Elle ne revient pas. Pourvu qu'Elle ne se soit pas perdue, comme moi un jour dans la rue, à Paris!

KIKI-LA-DOUCETTE. — J'ai faim.

TOBY-CHIEN. — J'ai faim. Qu'est-ce qu'on mange ce soir?

KIKI-LA-DOUCETTE. — J'ai vu un poulet. Il a
crié stupidement et saigné rouge dans la cuisine.
C'était plus sale par terre qu'un pipi de chat, et
même qu'un pipi de chien; pourtant on ne l'a
pas fouetté. Mais Émilie l'a mis dans le feu, pour
lui apprendre. J'ai un peu léché le sang...

TOBY-CHIEN *bâille*. — Du poulet... Mes lèvres
tremblent et se mouillent. Elle me dira : " A z'os,
à z'os! " et me jettera la carcasse...

KIKI-LA-DOUCETTE. — Que tu parles mal! Il
dit : " A p'tit os, à tos! "

TOBY-CHIEN, *surpris*. — Mais... non, je
t'assure, c'est bien : " A z'os " qu'Elle dit...

KIKI-LA-DOUCETTE. — Lui parle mieux
qu'Elle.

TOBY-CHIEN, *incompétent*. — Ah?... Dis-moi,
les oiseaux, est-ce que ça a le goût du poulet?

KIKI-LA-DOUCETTE, *dont les yeux brillent bleu
soudain*. — Non... C'est mieux... c'est vivant.
On sent tout craquer sous les dents, et l'oiseau
qui tressaille, et la plume chaude, et la petite
cervelle exquise...

TOBY-CHIEN. — Oh! tu me dégoûtes! Toutes

les petites bêtes, quand elles remuent, m'inquiè-
tent, et d'ailleurs les oiseaux sont doux...

Kiki-la-Doucette, *sec.* — N'en crois rien, ils
ne sont doux qu'à manger. Ce sont des êtres
bruyants, infatués, stupides, uniquement comes-
tibles... Tu connais les deux geais?

Toby-Chien. — Pas très bien.

Kiki-la-Doucette. — Les deux geais du
petit bois. Ceux-là... ils rient, poussent des
" tiac " sardoniques quand je me promène,
parce que je porte une sonnette au cou... J'ai
beau tenir raide ma tête et poser mes pattes
doucement, ma sonnette sonne, et les deux
créatures s'esclaffent en haut du sapin... Que je
les tienne un jour!...

> *Il couche latéralement ses oreilles et
> lève le poil de son dos en arête de
> poisson.*

Toby-Chien, *pensif.* — Positivement, il y a des
moments où je ne te reconnais plus. On cause
tranquillement, et soudain tu te hérisses en rince-
bouteilles. On joue gentil, je te jappe au derrière
des *ahouahoua* pour rire, et tout d'un coup, on ne
sais pas pourquoi, peut-être parce que mon nez a
frôlé cette toison qui bouffe en culotte de zouave,

te voilà bête sauvage, crachant un souffle qui
fume, et qui me charges comme un chien
inconnu! Est-ce que cela ne peut pas s'appeler
un mauvais caractère?

Kiki-la-Doucette, *mystérieux, les yeux pres-*
que fermés. — Non pas. Un caractère seulement.
Un caractère de Chat. C'est en de tels moments
irrités que je sens, à n'en pas douter, l'humiliante
situation qui nous est faite, à moi et à tous ceux
de ma race. Je me souviens d'un temps où des
prêtres en longues tuniques de lin nous parlaient
courbés et tentaient, timides, de comprendre
notre parole chantée. Sache, Chien, que nous
n'avons pas changé! Peut-être y a-t-il des jours
où je suis plus pareil à moi-même, où tout
m'offense justement, un geste brusque, un rire
grossier, le fracas d'une porte, ton odeur,
l'inconcevable audace que tu as de me toucher,
de me cerner de bonds circulaires...

Toby-Chien, *patient, à part.* — Il a sa crise.

Kiki-la-Doucette, *tressaillant.* — Tu as
entendu?

Toby-Chien. — Oui, la porte de la cuisine.
Et celle de la salle à manger, à présent. Et le
tiroir aux cuillères... Enfin, enfin, aaah! *(Il bâille.)*

Je n'en puis plus. Mais où est-Elle? Le gravier
ne crie pas; la nuit va venir.

Kiki-la-Doucette, *ironique*. — Va la chercher.

Toby-Chien. — Et Lui? D'ordinaire, il
s'inquiète, il demande : " Où est-Elle? " Il gratte
le papier. Il a dû boire toute l'eau violette du
petit pot bourbeux. *(Il étire avec soin toutes ses
pattes, en commençant par celles de devant.)* Ah!
je me sens vif et creux! On va manger. Respire
la fumée odorante qui glisse sous la porte!
Jouons!

Kiki-la-Doucette. — Non.

Toby-Chien. — Cours, je te poursuivrai sans
te toucher.

Kiki-la-Doucette. — Non.

Toby-Chien. — Pourquoi?

Kiki-la-Doucette. — Je n'ai pas envie.

Toby-Chien. — Oh! que tu es ennuyeux!
Regarde, je saute, je m'encapuchonne comme
un petit cheval, je cherche à saisir ma queue
coupée, je vire, vire... Dieux! la chambre
tourne... Non, c'est fini.

Kiki-la-Doucette. — Quel être insupportable!

Toby-Chien. — Insupportable toi-même! Prends garde, je vais te charger comme Elle fait quand Elle est gaie, et qu'Elle crie : " Hà chat! "

Kiki-la-Doucette, *sans se lever encore, ouvre toute grande, devant Toby qui tournoie, une patte griffue, tachée en dessous de rose et de noir comme une fleur épineuse.* — Si tu oses!...

Toby-Chien, *délirant.* — Oui, j'ose! Houah! Houah! hà chat, hà chat!

> *Kiki-la-Doucette, exaspéré, bondit, crache et se suspend au tapis de la table. Chute lente du tapis, écroulement de la lampe et des bibelots. Silence épouvanté. Les deux bêtes, aplaties sous un fauteuil, attendent le châtiment.*

Lui, *paraissant au seuil du cabinet de travail, son porte-plume dans la bouche, comme un mors.* — Tonnerre de Dieu! Qu'est-ce qu'il y a encore? Cette ménagerie de malheur a tout chambardé ici. Où est Madame? Quelle boîte! on ne peut jamais dîner à l'heure... (etc., etc., etc.)

*Les deux coupables, qui savent l'in-
nocuité de telles foudres, demeurent
plats comme deux pantoufles et se
regardent en riant muettement à travers les franges du fauteuil. La porte
du jardin s'ouvre.
Elle entre, son panier plein de mirabelles musquées, les mains poissées
de leur sucre, les cheveux sur les
yeux. Elle reste atterrée devant le
désastre.*

ELLE. — Oh! ils se sont encore battus! Dieu,
quelles sales bêtes! *(Sans conviction.)* Je les
donnerai, je les vendrai, je les tuerai...

*Mais les deux bêtes, traînées sur
le ventre en une humilité exagérée,
rampent jusqu'à Elle et parlent à la
fois.*

KIKI-LA-DOUCETTE. — Vrrrr... Vrrrain... te
voilà... il est bien tard... C'est Toby qui m'a
chargé... C'est lui qui a tout cassé... Je crois que
l'inanition lui donnait le délire. Tu sens bon
l'herbe et le crépuscule. Tu t'es assise sur du
serpolet. Viens... Dis à ton Maître, à Lui, qu'il
m'emporte sur son épaule vers la viande qui
sera trop cuite. Tu vas découper le poulet très
vite, n'est-ce pas? Tu me garderas les peaux

grillées? Si tu veux, je tendrai jusqu'au plat une patte en cuiller qui sait ramasser les menus débris et les porter à ma bouche, de ce geste humain qui vous fait tant rire, Lui et Toi. Viens...

TOBY-CHIEN. — Uiii... uiii... Te voilà! Enfin, enfin! Je m'ennuie tant sans toi! Tu m'as exilé, tu ne m'aimais plus... C'est la lampe qui est tombée toute seule. Viens... J'ai très faim. Mais je consentirai joyeusement à ne pas dîner, si tu veux m'emmener toujours, partout, même dans le crépuscule qui me rend triste, je te suivrai, heureux, mon nez fervent au ras de ta jupe courte...

ELLE, *désarmée, et d'ailleurs indifférente au cataclysme*. — Regarde, comme ils sont jolis!

ELLE EST MALADE

Une chambre à coucher, à la campagne. Un soleil d'automne à travers les stores baissés. Elle est étendue en robe de laine blanche sur une chaise longue et paraît dormir. Kiki-la-Doucette fait sa toilette sur une étroite console; Toby-Chien veille, couché en sphinx sur le tapis, tout près d'Elle, attentif aux paroles de son maître qui quitte la chambre sur la pointe du pied.

LUI, *sortant, très bas aux deux bêtes.* — Chut! ne la réveillez pas. Soyez sages. Je vais écrire en bas.

Il referme la porte sans bruit.

TOBY-CHIEN, *à Kiki-la-Doucette.* — Qu'est-ce qu'il a dit?

KIKI-LA-DOUCETTE. — Je ne sais pas. Des choses vagues. Des recommandations. Quelque chose comme : restez là, au revoir.

TOBY-CHIEN. — Il a dit : " Chut. " Je ne fais pas de bruit pourtant.

KIKI-LA-DOUCETTE, *ironique*. — Ils sont étonnants! " Pas de bruit ", disent-ils, et là-dessus ils s'en vont d'un pas qu'un rat sourd entendrait de deux kilomètres.

TOBY-CHIEN. — Il y a du vrai. *(Il contemple celle qui dort.)* Sa figure est encore bien petite. Elle dort. Si tu descends de cette console, ne fais pas trop " pouf " exprès, en tombant.

KIKI-LA-DOUCETTE, *pincé*. — C'est toi qui vas m'apprendre à sauter, à présent? O donneur de conseils! *(Citant.)* " L'excrément monte à cheval, et encore il s'y tient! "

TOBY-CHIEN. — Quoi?

KIKI-LA-DOUCETTE. — Rien. C'est un proverbe oriental. Si je voulais, Chien, troubler le silence de cette chambre, je saurais habilement choisir, pour m'y laver, une chaise mal calée, dont les pieds martèleraient régulièrement : " Tic-toc, tic-toc, tic-toc " au rythme de ma langue. C'est un moyen que j'ai inventé pour me faire donner la liberté. " Tic-toc, tic-toc ", dit la chaise. Elle, qui lit ou écrit, s'agace vite et crie : " Tais-toi, Kiki. " Fort de mon bon droit, je me lave innocemment. " Tic-toc, tic-toc. " Elle bondit affolée et m'ouvre grande la porte, que je tarde à franchir, d'un pas d'exilé... Dehors, je ris de me sentir supérieur à tous.

Toby-Chien, *qui n'a pas écouté, bâillant*. — Quelle triste semaine, hein? On ne sait plus ce que c'est qu'une promenade. Depuis qu'Elle est tombée de son cheval, d'ailleurs, je n'ai pas mangé avec plaisir.

Kiki-la-Doucette. — Mon Dieu, on peut aimer les gens et soigner son estomac.

Toby-Chien, *vivement*. — Pas moi, pas moi! Quand Elle est tombée de son cheval et qu'Elle a crié, j'ai senti craquer mon cœur.

Kiki-la-Doucette. — Aussi, cela ne pouvait pas finir autrement. On ne monte pas sur un cheval. Personne ne monte sur un cheval! Je ne vois autour de moi qu'extravagance. Le cheval par lui-même est déjà une effrayante monstruosité.

Toby-Chien, *indigné*. — Par exemple!

Kiki-la-Doucette, *péremptoire*. — Si. J'en ai étudié un de très près...

Toby-Chien, *à part*. — Il me fait rire.

Kiki-la-Doucette. — ... Le cheval du fermier qui pâturait dans le pré. Cette mouvante

montagne, un mois durant, a empoisonné mes
jours. Caché sous la haie, j'ai vu ses pieds
pesants qui déforment le sol, j'ai respiré son
odeur vulgaire, écouté son cri grinçant qui
secoue l'air... Une fois qu'il mangeait les
brindilles basses de la haie, un de ses yeux m'a
miré tout entier, et j'ai fui!... De ce jour, ma
haine fut si forte que j'espérai follement anéantir
le monstre. " Je m'approcherai de lui, pensais-je,
je me camperai fermement, et le désir de sa
mort sera si fort dans mes yeux qu'il mourra
peut-être, ayant rencontré mon regard... "

TOBY-CHIEN, *égayé*. — Oui?

KIKI-LA-DOUCETTE, *poursuivant*. — Ainsi
fis-je. Mais le cheval, que j'attendais frémissant,
souffla seulement sur moi par les naseaux un
long jet de vapeur bleuâtre, infecte, qui me
renversa dans des convulsions atroces.

TOBY-CHIEN, *qui se tord à l'intérieur*. — Tu
n'exagères pas?

KIKI-LA-DOUCETTE, *sérieux*. — Jamais. Et
c'est sur un cheval qu'Elle s'en va grimper,
cramponnée à quatre ficelles, jambe de-ci,
jambe de-là?... Étrange aberration!

Toby-Chien. — Nous ne pensons pas de même, Chat. Pour moi, le cheval est, après l'homme, la beauté du monde.

Kiki-la-Doucette, *vexé*. — Et moi, alors?

Toby-Chien, *évasif et courtois*. — Toi, tu es un Chat. Mais le cheval! Elle sur un cheval! groupe admirable, si haut dans l'azur que je ne le contemple qu'en renversant mon cou d'apoplectique! Le cheval lui prête sa vitesse. Elle peut enfin lutter avec moi à la course, lorsqu'un galop aveugle m'emporte. Parfois, je les précède, toutes oreilles flottantes, la langue en drapeau, et devant moi chemine l'ombre cornue du cheval. Si je la suis, une poussière odorante m'encense, cuir chaud, bête moite, un peu de son parfum à Elle... La route file sous moi comme un ruban qu'on tire, jalonnée d'œufs de crottin. O joie d'être si petit et si rapide dans une grande ombre galopante! A la halte, je souffle comme un moteur entre les quatre jambes de mon ami, qui penche sur moi sa bouche enchaînée et m'arrose d'un ébrouement amical.

Kiki-la-Doucette. — Évidemment, évidemment. Coursiers généreux, franchissant le mont

et le val, et sous leurs fers le silex étincelle... Tu
es le dernier des romantiques.

Toby-Chien. — Je ne suis pas le dernier des
romantiques, je suis un petit bull venu au monde
un soir entre les quatre pieds d'une jument
alezane, qui ne s'est pas couchée pendant toute
la nuit, tant elle craignait d'écraser ma mère et
ses nouveau-nés. Un petit bull, c'est presque
un enfant de cheval, ça couche contre les flancs
tièdes, dans la chaude litière mêlée de crottin, ça
boit dans les seaux de l'écurie, ça se lève au
bruit des sabots et ça s'intéresse au lavage des
voitures... Jusqu'au jour où Elle est venue me
chercher, me choisir — moi, le plus beau, le plus
camard, le plus carré de la portée! — pour
m'attacher à sa personne... *(Soupirant.)* Et
voilà qu'Elle est couchée sans bouger. Je suis
triste, car Elle a encore un petit linge autour de
la cheville. Tu te souviens, quand Il l'a ramassée
dans ses bras? Il la tenait en l'air, Elle qui est si
grande au-dessus de moi, comme un petit
chien qu'on va noyer...

Kiki-la-Doucette, *amer*. — Je me souviens.
J'étais en haut de l'escalier, irrité et curieux du
tapage. Il est arrivé sur moi et m'a écarté du

pied, ni plus ni moins qu'Il eût fait d'un meuble gênant...

Toby-Chien. — ... C'est pour ça que tu es resté trois jours sans entrer dans cette chambre, sa chambre à Elle?

Kiki-la-Doucette, *hésitant*. — Pour cela... et pour autre chose.

Toby-Chien. — Quelle chose?

Kiki-la-Doucette. — La fièvre.

Toby-Chien, *fanatique*. — Sa fièvre sent encore meilleur que la santé des autres.

Kiki-la-Doucette, *haussant les épaules*. — Et on viendra parler du flair des chiens! Les certitudes des Deux-Pattes reposent sur des fables enfantines. Tu sais bien que la fièvre...

Toby-Chien, *bas*. — Oui. Ça fait peur.

Kiki-la-Doucette. — Ça fait peur, froid sur le dos, dégoût dans les narines, inquiétude partout. Au seuil d'une chambre où il y a la fièvre, on s'arrête, on cherche quelqu'un, on craint ce qui est caché... Elle était couchée, seule et brûlante, et je l'ai regardée longtemps, prêt à fuir, en me disant : " Qui donc est avec elle sous les rideaux? Qui l'oppresse et la tourmente, et la fait gémir endormie? "

Toby-Chien, *effrayé rétrospectivement*. — Mais il n'y avait personne, dis?

Kiki-la-Doucette. — Personne, sauf Lui, qui, penché, écoutait son sommeil. Lui, plus intelligent que tous les Deux-Pattes de la terre, obscurément averti d'une présence invisible, Lui — et la Fièvre. Je l'ai contemplé, dominant ma répugnance. J'étais mélancolique et jaloux. " Faut-il qu'Il l'aime, pensais-je, pour l'approcher et la défendre, pour l'embrasser, tout imprégnée du mauvais charme! Me prendrait-il contre son cœur, moi, si... "

Toby-Chien, *impérieux*. — Chut!

Kiki-la-Doucette. — Quoi?

Toby-Chien. — Elle a bougé.

Kiki-la-Doucette. — Non.

Toby-Chien, *attentif, la regardant*. — Non... Elle n'a pas bougé, mais sa pensée a remué. Je l'ai sentie. Continue.

Kiki-la-Doucette, *qui s'est ressaisi*. — Je ne sais plus de quoi nous parlions.

Toby-Chien. — De la...

Kiki-la-Doucette, *vivement*. — Assez. Ne l'évoque plus. La fièvre, c'est le commencement de ce qu'on ne nomme pas.

Toby-Chien, *frissonnant*. — Oh! oui. Je n'aime aucune bête immobile, tu sais de quelle immobilité je veux parler...

Kiki-la-Doucette, *riant cruellement*. — Moi non plus. Je ne puis manger que des oiseaux vivants, ou des souris très petites dont j'avale le cri...

Toby-Chien. — Pourquoi t'amuses-tu à me faire peur? Je n'ai jamais bien compris chez toi cette vanité qui consiste à exagérer une cruauté très réelle... Tu me nommes le dernier des romantiques, ne serais-tu pas le premier des sadiques?

Kiki-la-Doucette. — O Chien empoisonné de littérature, un éternel malentendu nous sépare. " Je suis un petit bull ", répondais-tu, avec la sincérité obtuse qui me désarme. A mon tour, laisse-moi te dire : " Je suis un Chat. " Ce nom seul me dispense... Une haine est en moi contre la souffrance, la laideur, — une détestation impérieuse de ce qui choque ma vue ou simplement mon bon sens. Animé d'une juste colère, je me suis rué sur le chat du concierge qui traînait en criant une patte blessée... Jusqu'à ce qu'il se tût, j'ai...

Toby-Chien, *suppliant*. — Ne me le dis pas!

Kiki-la-Doucette, *s'échauffant*. — Ah! comprends donc enfin! Si le récit affaibli de ce que j'ai fait te bouleverse, comprends donc que j'ai voulu supprimer du monde, anéantir, en cette bête ensanglantée, l'image même, l'image menaçante de mon inévitable mort...

> *Ils se taisent un long moment.*

Kiki-la-Doucette, *frissonnant du dos*. — La claustration ne nous vaut rien... J'irais volontiers, sous le doux soleil sans force, " faire la bayadère " parmi le gravier sec et les feuilles comme des pommes frites. Dehors tout est jaune! Mes yeux verts deviendront jaunes à force de mirer le soleil roux et les futaies enflammées. Je ne veux plus penser qu'à tout ce qui est jaune et joyeux, au froid et bel automne, à l'aube rouge dont la couleur reste aux feuilles des cerisiers... Viens! éprouvons la vigueur de nos pattes, sentons jusqu'au fond de nous-mêmes notre jeunesse encore neuve... Peut-être que la mort ne viendra jamais?...

Il saute sans aucun bruit au bas de la console.

TOBY-CHIEN, *l'arrêtant.* — Que vas-tu faire?

KIKI-LA-DOUCETTE. — Gratter à la porte et entonner la Plainte du séquestré.

TOBY-CHIEN, *désignant celle qui dort.* — Et la réveiller sans doute?

KIKI-LA-DOUCETTE, *embêté.* — Je chanterai à demi-voix.

TOBY-CHIEN. — Et tu gratteras à demi-ongles? Reste tranquille, Il l'a ordonné en partant.

KIKI-LA-DOUCETTE, *hautain.* — M'ordonne-t-il? Il me prie. C'est la seule raison que j'aie de lui obéir, d'ailleurs.

Il se rassoit, en apparence résigné, et bâille longuement.

TOBY-CHIEN, *bâillant.* — Tu me fais bâiller.

KIKI-LA-DOUCETTE. — Non, mais tu t'ennuies. (*Tentateur.*) Tu penses à la liberté... Une poule a pu s'échapper du poulailler, quelle chasse...

Toby-Chien. — Tu crois?

Kiki-la-Doucette. — Je dis : peut-être. Le terrier du lapin, as-tu fini de l'explorer?

Toby-Chien, *agité*. — Non... il est si profond! Je l'ai creusé hier, à m'y ensevelir... La terre collait à mon museau avec des poils de la bête...

Kiki-la-Doucette, *de plus en plus méphistophélique*. — Tu finiras cela demain... ou un autre jour.

Toby-Chien, *triste*. — Pourquoi pas l'an prochain?

Kiki-la-Doucette. — Qu'est-ce que tu as? Ta lèvre noire et vernie pend d'une aune et tes yeux de crapaud miroitent de larmes... Tu pleures?

Toby-Chien, *reniflant*. — Non...

Kiki-la-Doucette. — Console-toi, sensible cœur. Tu retrouveras tes plaisirs et tes amis. En ce moment même la chienne du fermier croque des os dans la cuisine, pour tromper l'attente où tu la laisses, sans doute.

TOBY-CHIEN, *atterré.* — La chienne... oh!

KIKI-LA-DOUCETTE. — D'ailleurs, elle n'est pas seule, le danois du garde lui tient compagnie.

TOBY-CHIEN, *révolté.* — Ça n'est pas vrai.

KIKI-LA-DOUCETTE. — Vas-y voir.

TOBY-CHIEN, *après un bond vers la porte.* — Non, ça ferait du bruit.

KIKI-LA-DOUCETTE. — C'est juste.

> *Silence morne. Toby-Chien se couche en turban et ferme les yeux parce qu'il a envie de pleurer. Son souffle court sanglote tout bas.*

KIKI-LA-DOUCETTE, *comme distrait, en mélopée presque insaisissable.* — La chienne... la petite chienne... les os, la petite chienne... le lapin, le terrier... le danois, la petite chienne... les os du gigot, le poil du lapin...

TOBY-CHIEN *supporte d'abord héroïquement son supplice, puis ses nerfs le trahissent et il hurle, tête levée, la longue plainte du chien abandonné.* — Hôôôôôôô!...

KIKI-LA-DOUCETTE, *du haut de sa console.* — Tais-toi donc!

Toby-Chien. — Hôôôôôôô!! ôôôô...ôô!

Kiki-la-Doucette, *à part.* — Ça y est.

> *Et pendant qu'Elle s'éveille égarée,
> encore prisonnière de ses rêves, le
> Chat écoute patiemment s'approcher,
> dans l'escalier, la liberté pour lui, le
> châtiment pour l'autre.*

LE PREMIER FEU

Parce qu'il pleut et que le vent d'octobre chasse dans l'air les feuilles trempées, Elle a allumé dans la cheminée le premier feu de la saison. En extase, Kiki-la-Doucette et Toby-Chien, couchés côte à côte au coin du marbre tiède, s'éblouissent à contempler la flamme et lui dédient des prières intérieures.

KIKI-LA-DOUCETTE, *pareil à un coussin, sans pattes apparentes.* — Feu! te voici revenu, plus beau que mon souvenir, plus cuisant et plus proche que le soleil! Feu! que tu es splendide! Par pudeur, je cache ma joie de te revoir, je ferme à demi mes yeux où ta lumière amincit la prunelle, et rien ne paraît sur ma figure où est peinte l'image d'une pensée fauve et brune... Mon ronron discret se perd dans ton crépitement. Ne pétille pas trop, ne crache pas d'étincelles sur ma fourrure, sois clément, Feu varié, que je puisse t'adorer sans crainte...

TOBY-CHIEN, *à moitié cuit, les yeux injectés, la langue pendante.* — Feu! feu divin! te revoici! Je suis bien jeune encore, mais je me souviens de ma terreur respectueuse, la première fois que sa main, à Elle, t'éveilla dans cette même cheminée. La vue d'un dieu aussi mystérieux que toi a de quoi frapper un chien-enfant, à peine sorti de l'écurie maternelle. O Feu! je n'ai pas perdu toute appréhension. Hiii! tu as craché sur ma peau une chose piquante et rouge... J'ai peur... Non, c'est fini.

Que tu es beau! Ton centre plus rose darde des lambeaux d'or, des jets vifs d'air bleu, une fumée qui monte tordue et dessine d'étranges apparences de bêtes... Oh! que j'ai chaud! Sois plus doux, Feu souverain, vois comme ma truffe séchée se fendille et craque... Mes oreilles ne flambent-elles point? Je t'adjure d'une patte suppliante, je gémis d'une volupté insupportable... je n'en puis plus!... *(Il se retourne.)* Ah! rien n'est jamais bon tout à fait. Sous la porte, la bise pince mes cuisses nues. Tant pis! que mon derrière gèle, pourvu que je t'adore en face!

KIKI-LA-DOUCETTE. — Je sais — puisque je suis Chat — tout ce qui vient derrière toi, Feu. Je prévois l'hiver, que j'accueille d'une âme inquiète, mais non sans plaisir. En son honneur, ma robe déjà croît et s'embellit. Mes rayures brunes deviennent noires, ma palatine blanche s'enfle en jabot éclatant, et le poil de mon ventre passe en beauté tout ce qui s'est vu jamais. Que dire de ma queue, évasée en massue, alternativement annelée de fauve, noir, fauve, noir, fauve, noir? Hors de mes oreilles s'érigent deux aigrettes inestimables, sensibles, et qu'Elle nomme mes boucles d'oreilles... Quelle chatte me résisterait? Ah! les nuits de janvier, les sérénades sous la lune glacée, l'attente digne au faîte d'un toit, la rencontre du rival sur l'étroite passerelle d'un mur... mais je me sens plus fort que tous! J'agiterai ma queue, je renverserai mes oreilles sur ma nuque, je halèterai tragiquement par les narines, comme pour vomir — puis ma voix s'élèvera, modulée infiniment, puissante jusqu'à réveiller les Deux-Pattes endormis. Je vociférerai, je larmoierai, j'arpenterai le jardin, gonflé, les coudes en dehors, et simulant la folie pour épouvanter les matous!

Toby-Chien. — Je n'ignore pas, Feu — puisque je suis Chien — les vicissitudes et les joies que tu présages. Déjà il pleut dans le jardin. Je crois qu'il pleut aussi sur la route et dans le bois.

L'eau qui tombe n'a plus la tiédeur des orages de
l'été, alors que ma truffe, grise de poussière, se
délectait à l'odeur humide qui venait de l'ouest.
Le ciel est inquiet, et le vent grandit assez pour
soulever droits les pavillons de mes oreilles. Un
chant pointu, pareil au mien quand j'implore,
passe sous la porte. Tu luiras tous les jours, Feu;
mais de quelles souffrances faudra-t-il que
j'achète le droit de t'adorer! Car Elle continuera
d'errer, la tête couverte d'un capuchon cornu
qui la change et m'effraie; Elle chaussera des
pieds de bois et écrasera insoucieusement les
petites flaques, les mottes bourbeuses, la mousse
en pleurs. Je la suivrai, puisque j'ai promis de la
suivre toute ma vie (et qu'aussi bien je ne
pourrais faire autrement), je la suivrai, désolé,
piteux, verni d'eau, le ventre en croûtes de sable,
jusqu'à ce que l'excès même de ma misère me
fasse oublier tout, et que je batte les taillis,
occupé de chaque pli de l'herbe, âpre à réveiller
les odeurs noyées... Elle deviendra communi-
cative à me voir m'activer et nous parlerons :
" Ha! Toby-Chien, dira-t-Elle, ha! ha! l'oiseau,
là! Sur la branche, cruchon! Il est parti à
présent. " Elle s'apitoiera, pour m'amener à une
émotion proche des larmes : " O mon tout petit

noir, mon cylindre sympathique, mon amour
batracien, comme tu as froid, comme tu es
mouillé, comme tu es triste, comme tu souffres,
ôôô! " Avant que je puisse discerner si sa pitié
est sincère, mes yeux se fondront en eau et ma
gorge serrée n'émettra plus que des gémissements
frères des siens...

Mais quelle ivresse, quand ses capricieux pieds
de bois retourneront vers la Maison, pressés de
retrouver Lui qui gratte le papier, trop lents à
mon gré! Je l'environnerai de bonds et de cris,
vibrant de voir diminuer le coteau et raccourcir
la pente, de sentir l'admirable odeur d'écurie et
de bois brûlé qui rapproche de nous le gîte. A
travers la vitre embuée, tu luiras enfin, Feu, et
j'aurai franchi le seuil à peine qu'un foudroyant
sommeil me terrassera devant toi, toi qui
mueras en poudre fine les croûtes de mon ventre,
en fumante vapeur l'eau des chemins, toi, Feu,
toi, Soleil!

Kiki-la-Doucette. — Une douceur brûlante
pénètre ma robe jusqu'aux duvets fins et grêles,
soies sous les soies, fils impalpables et sans
couleur qui protègent ma peau délicate. J'enfle
comme un nuage. Je dois remplir la chambre.

Des tressaillements électriques, précurseurs du sommeil, agitent mes raides moustaches. Pourtant je ne dors pas encore, car la saison qui vient et ta splendeur, Feu, me troublent ensemble. Il pleut. Je ne sortirai pas. Discrètement, j'irai me confier au plat de sciure, pourvu que personne ne me regarde. Certes, la terre friable inspire plus excellemment, odorante et qui cède aux griffes... Mais ma nature supérieure connaît les longues contentions, et méprise ce chien hydraulique qui lève la patte contre tout. Je ne sortirai pas. J'attendrai le soleil ou le vent sec, ou mieux la gelée. Ah! l'excitation du froid piquant, qui cingle en poignées d'aiguilles mes poumons, fait de mon nez charmant un bonbon glacé!... Le spirituel démon du gel soufflera en moi sa démence. Elle rira, et Lui aussi, quittant son papier, de me voir rivaliser en bonds, en voltes, en tourbillonnements fols, avec les feuilles. Serai-je un Chat, ou le lambeau flottant d'une fumée ébouriffée? En haut d'un arbre! En bas! Puis sept tours après ma queue! Puis saut périlleux d'avant en arrière! Saut vertical avec tortillement aérien du ventre! Giration, éternuements, course à travers le réel et le rêve, jusqu'à l'épouvante de moi-même!... Arrêt

brusque : et tout tourne à mes yeux, ronde d'un
monde nouveau dont je suis le centre immobile...
Dans mon égarement sans conviction, j'exhalerai
un petit meuglement de vache et Ils accourront,
Elle riant, et Lui croyant à une angoisse intes-
tinale... Cela suffira à me dégriser, et c'est d'un
front assuré, d'un pas noble que je regagnerai ce
coussin près de ton autel, Feu!

TOBY-CHIEN. — La pierre du foyer brûle les
plantes cornées de mes pattes. Que faire? M'éloi-
gner? jamais! Plutôt périr par la cuisson que
quitter ce bonheur redoutable!... Pourvu qu'Elle
ne vienne pas tout de suite! Je crains justement
la lanière du fouet et les paroles magiques qui
promettent l'exil : " Toby, c'est stupide! Je te
défends de te rôtir. Tu auras mal aux yeux et tu
t'enrhumeras en sortant!... " C'est ainsi qu'Elle
parle, tandis que je m'applique à la regarder d'un
obtus air dévot dont Elle n'est point la dupe.
J'écoute les bruits du premier étage, et son pas
qui va et vient... Sa fantaisie vagabonde est-elle
enfin lassée? Ce matin, Elle m'a sifflé, et ma hâte
à lui obéir fut telle que je roulai au bas des
escaliers, car je suis court et carré, avec peu de
pattes, point de nez et nulle queue pour faire

balancier... Nous partîmes. Le bout flexible des branches berçait les dernières pommes... Ma voix heureuse, les cris de gaîté qu'Elle jetait parfois, le chant vain des coqs, le grincement des chars sur la route, — tous les bruits flottaient portés sur l'ouate un peu suffocante et bleue du brouillard... Elle m'emmena loin, et notre chemin fut fertile en merveilleux incidents : rencontre de chiens géants et terribles que ma mine fière exaspéra, mais que je sus contenir d'un seul regard (une grille fermée les réduisait d'autre part à l'impuissance), poursuite fervente d'un lapin sous les taillis, encore qu'Elle criât très fort : " Je te défends! Je te défends de toucher à cette petite bête!... " Ma mère m'a doué de pattes rapides, certes, mais courtes : la bête au derrière blanc me distança. Un buisson chargé de baies rouges nous retint bien longtemps! Elle se repaît volontiers d'objets inconnus. Grande est ma foi en Elle, et je pourrais attester que j'ai goûté de tout ce qu'Elle m'a offert. Mais ce matin... " Mange, Toby, c'est des senelles. Mange, voilà des gratte-cul... Oh! serin! comment peux-tu ne pas raffoler de ce goût cuit et allègre! Je t'assure, ce sont des confitures pas greffées!... " Je mâchai, par déférence, une boule rougeâtre où sa main, taquine à coup sûr, sema des poils rêches... ce qui devait arriver arriva... Kha! une nausée rejeta de mon gosier l'ordure nommée gratte-cul...

Feu, entends-moi! Ce que je vis ensuite, sous un bois bruissant de feuilles empesées, passe mon intelligence. T'avait-Elle emporté sous sa mante? Ou bien les dieux comme toi accourent-ils à son geste? J'ai vu, Feu, j'ai vu ses mains édifier le bûcher, disposer mystérieusement les pierres plates, puis l'étincelle jaillir, et ton âme joyeuse palpiter, grandir, s'élancer rose et nue, se voiler de fumée, péter belliqueusement, agoniser et disparaître... Le monde est plein de choses incompréhensibles...

Enfin, au retour, près de la grille du parc, je découvris, moi le premier, moi avant Elle, un de ces animaux inexpugnables dont la vue seule met toute ma race aux abois, un hérisson. O fureur! sentir que sous cette pelote une bête se cache et rit de moi, que je ne puis rien, rien, rien! Je l'implorai, Elle qui peut presque tout, de m'éplucher ce hérisson. Très attentive, Elle s'occupa d'abord de le retourner avec un petit bâton, comme une châtaigne : " C'est étonnant, dit-Elle, je ne peux pas trouver le dessus! "

Entre deux doigts, par un piquant, Elle l'emporta jusqu'ici — je dansais derrière Elle — et le déposa au fond de son panier à ouvrage... Bientôt, la bête abhorrée se déroula, pointa un museau porcin, ouvrit deux yeux luisants de rat, se hissa debout, cramponnée de deux pattes griffues de taupe : " Qu'il est joli ! s'écria-t-Elle, un vrai petit cochon noir ! " Je gémissais de convoitise au pied de la table, mais Elle ne m'éplucha point la bête, ni alors ni jamais, et peut-être que la cuisinière l'a mangée. Peut-être que ce chat dissimulé, narquois... Assez de soucis. Mon cœur trop sensible s'exalte, et souvent m'étouffe un peu... Ne pensons pas. La vie est belle, Feu, puisque tu l'éclaires... Je m'endors... Garde bien, ô Feu, ma dépouille que la pensée va quitter... Je m'endors...

KIKI-LA-DOUCETTE. — On dirait que je dors, parce que mes yeux s'effilent jusqu'à sembler le prolongement du trait velouté, coup de crayon hardi, maquillage oriental et bizarre, qui unit mes paupières à mes oreilles. Je veille pourtant. Mais c'est une veille de fakir, une ankylose bienheureuse d'où je perçois tout bruit et devine toute présence... Mes yeux privilégiés,

Feu, te contemplent mieux lorsque je les clos,
et je puis compter les essences diverses que tu
mêles en bouquet étincelant. Voici, flamme
mauve, bleue et brûlante, l'esprit d'un rameau
de thuya. Hier encore, cette branche, qui tord
son squelette délicat de ramilles, berçait sur
l'allée son ombre plate en plumeau; Elle l'a
tranchée d'un coup de sécateur, pourquoi? peut-
être pour que s'exhalât son âme mauve et bleue
et brûlante? Car elle se plaît comme moi à ta
danse, Feu, et châtie ton repos d'une pincette
sévère. Que lit-Elle, la tête penchée, et les bras
glissés le long d'Elle, dans ton cœur compliqué
comme une rose embrasée? J'ignore. Elle sait
beaucoup, assurément, mais moins qu'un Chat.

Ce pleur épais au long d'une bûche, c'est
l'agonie d'un très ancien sapin, que le lierre
patient a tué. J'ai vu l'arbre, la cognée, une
rousse chevelure morte abattue dans l'herbe, il
n'y a pas longtemps. Son tronc pleure une
résine qui se traîne en bave, puis en flamme
rampante et lourde, mais la rousse chevelure
sèche casse en traits de feu vif, siffle et darde
mille jets multicolores, au-dessous d'une vague
ample et dorée, qui se roule voluptueuse comme
la chatte que j'aimerai...

L'amour... la chasse... la guerre... c'est toi,
Feu, qui les allumes au fond de moi. Les bêtes
ailées déjà se rapprochent, inquiètes des baies
flétries. Je les aurai! Je guetterai, immobile sous
le taillis, souhaitant frénétiquement que la terre
elle-même me cache. Dans mon désir de l'élan,
les muscles de mes cuisses tressailliront, mon
menton tremblera, et pourvu que mon affût ne
se trahisse pas par un appel chevroté, irrépres-
sible, qui les effraierait tous en un grand bruit
froissé d'ailes et de branches!... Non. Je suis
maître de moi. Un bond à la seconde juste : et
la proie faible halète sous moi... Toutes petites
serres impuissantes, ailes pointues qui battent
mon visage crispé, effort risible d'une bête
sans force... Pour la seule joie de contenir un
corps affolé et vivant, ma gueule se fendra
jusqu'à froncer de trois plis féroces mon nez
parfait... Et l'ivresse guerrière, le caracolement
victorieux, la nuque secouée pour déchirer un
peu, très peu, l'oiseau qui s'évanouirait trop
vite entre mes dents... Formidable, je galoperai
vers la Maison, chantant d'une voix étranglée
sans desserrer les mâchoires, car il faut que Lui,
quittant son papier, accoure et m'admire;
qu'Elle, consternée, me poursuive vainement

avec des cris : " Méchant! Sauvage! Laisse
l'oiseau, oh! je t'en prie, tu me fais tant de
peine... " Ha! il faut qu'Elle n'ait jamais
chassé...

Je veux, Feu, pendant que régnera le froid,
étonner l'univers. Le Chat qui habite la ferme
(Elle dit " le Chat du fermier " comme nous
disons " le fermier du Chat "), celui qui est mal
vêtu, juché sur de longues pattes, enlaidi d'un
museau de belette, celui-là aiguise ses griffes en
me regardant. Patience. Il est fort, dénué
d'élégance, brutal et indécis. Une porte qui
claque l'épouvante et la panique l'emporte,
oreilles au dos; mais je l'ai vu tuer silencieuse-
ment une poule de taille honnête. Pour les yeux
faux de la chatte trop jeune, ou bien pour une
question de préséance sur le mur du jardin,
pour une parole à double entente, pour rien,
pour le plaisir, nous nous mesurerons. Il
saura que je puis démoraliser mon ennemi par
un mutisme inexplicable, aussi bien que par des
cris d'assassinat. Le mur bas du jardin me paraît
un terrain commode. Qu'il essaie, la gorge
enrouée, de gémir bas, puis aigu, que sa face
disgraciée, son corps pelé, taché de travers, se
disloquent en une ataxie mensongère (ils sont

encore à ces vieux moyens!), moi, impénétrable,
je darderai sur lui le magnétisme vert de mes
yeux magnifiques. Sous l'insistant outrage, il
baissera ses sourcils, frémira de l'échine, esquis-
sera même notre vieille danse de guerre, en
avant, puis à reculons, puis en avant encore...
Je ne bougerai non plus qu'une statue de
Chat. L'épouvante et la folie descendront sur
mon rival, dans le vert maléfice de mon regard,
et bientôt je le verrai se tordre, crier faux, hasar-
der enfin l'équilibre sur la nuque, en poirier
fourchu, pour rouler honteusement dans le
champ de pommes de terre flétries...

Tout cela, Feu, arrivera comme je te le dis.
Aujourd'hui, l'avenir éclôt à ta flamme toute
neuve. Je m'engourdis... Mon ronron s'éteint
avec ton crépitement... Je te vois encore et je
vois déjà mes rêves... Le bruit soyeux de la
pluie caresse les vitres et la gorge de la gouttière
sanglote comme un pigeon...

Ne t'éteins pas durant mon somme, Feu; tu
gardes, souviens-t'en, cet auguste repos, cette
mort délicate qu'on appelle le Sommeil du
Chat...

L'ORAGE

Une suffocante journée d'été, à la campagne.

Derrière les persiennes mi-fermées, la maison se tait, comme le jardin angoissé où rien ne bouge, pas même les feuilles pendantes et évanouies du mimosa à feuilles de sensitive.

Kiki-la-Doucette et Toby-Chien commencent à souffrir et à deviner l'orage, qui n'est encore qu'une plinthe bleu ardoise, peinte épaissement en bas de l'autre bleu terne du ciel.

TOBY-CHIEN, *couché, et qui change de flanc toutes les minutes.* — Ça ne va pas, ça ne va pas. Qu'est-ce que c'est que cette chaleur-là? Je dois être malade. Déjà, à déjeuner, la viande me dégoûtait et j'ai soufflé de mépris sur ma pâtée. Quelque chose de funeste attend quelque part. Je n'ai rien commis que je sache répréhensible, et ma conscience... Je souffre pourtant. Mon compagnon, couché, frémit longuement et ne dort point. Son souffle pressé dénonce un trouble pareil au mien... Chat?

KIKI-LA-DOUCETTE, *crispé, très bas.* — Tais-toi.

Toby-Chien. — Quoi donc? Tu écoutes un bruit?

Kiki-la-Doucette. — Non. Oh! dieux, non! Ne me parle même pas de bruit, d'aucun bruit; au son seul de ta voix, la peau de mon dos devient semblable aux vagues de la mer!

Toby-Chien, *effrayé*. — Vas-tu mourir?

Kiki-la-Doucette. — J'espère encore que non. J'ai la migraine. Ne perçois-tu pas, sous la peau presque nue de mes tempes, sous ma peau bleuâtre et transparente de bête racée, le battement de mes artères? C'est atroce! Autour de mon front, mes veines sont des vipères convulsées, et je ne sais quel gnome forge dans ma cervelle. Oh! tais-toi! ou du moins parle si bas que la course de mon sang agité puisse couvrir tes paroles...

Toby-Chien. — Mais c'est ce silence même qui m'accable! Je tremble et j'ignore. Je souhaite le bruit connu du vent dans la cheminée, le battement des portes, le chuchotement du jardin, le sanglot de source qui est la voix continue du peuplier, ce mât feuillu de monnaies rondes...

Kiki-la-Doucette. — Le vacarme viendra assez tôt.

TOBY-CHIEN. — Le crois-tu? Leur silence, à Eux, m'effraie davantage. Qu'Il gratte le papier, Lui, c'est l'usage. Un usage révéré et inutile. Mais Elle! tu la vois, prostrée en son fauteuil de paille? Elle a l'air de dormir, mais je vois remuer ses cils et le bout de ses doigts. Elle ne siffle pas, ne chante pas, oublie de jouer avec les pelotes de fil. Elle souffre comme nous. Est-ce que ce serait la fin du monde, Chat?

KIKI-LA-DOUCETTE. — Non. C'est l'orage. Dieux! que je souffre. Quitter ma peau et cette toison où j'étouffe! me jeter hors de moi-même, nu comme une souris écorchée, vers la fraîcheur! O chien! tu ne peux voir, mais je les sens, les étincelles dont chacun de mes poils crépite. Ne m'approche pas : un trait bleu de flamme va sortir de moi...

TOBY-CHIEN, *frissonnant*. — Tout devient terrible. *(Il rampe péniblement jusqu'au perron.)* Qu'a-t-on changé dehors? Voilà que les arbres sont devenus bleus, et que l'herbe étincelle comme une nappe d'eau. Le funèbre soleil! Il luit blanc sur les ardoises, et les petites maisons de la côte ressemblent à des tombes neuves. Une odeur rampante sort des daturas fleuris. Ce lourd parfum d'amande amère, que laissent couler leurs cloches blanches, remue mon cœur jusque dans mon estomac. Une fumée lointaine, lasse comme l'odeur des daturas, monte avec peine, se tient droite un instant et retombe, aigrette vaporeuse rompue par le bout... Mais viens donc voir! *(Kiki-la-Doucette marche jusqu'au perron d'un pas ataxique.)* Oh! mais, toi aussi, on t'a changé, Chat! Ta figure tirée est celle d'un affamé, et ton poil, plaqué ici, rebroussé là, te donne une piteuse apparence de belette tombée dans l'huile.

KIKI-LA-DOUCETTE. — Laisse tout cela. Je redeviendrai digne de moi-même demain, si le jour brille encore pour nous. Aujourd'hui, je me traîne, ni peigné ni lavé, tel qu'une femme que son amour a quittée...

TOBY-CHIEN. — Tu dis des choses qui me désolent! Je crois que je vais crier, appeler du secours. Il vaut mieux peut-être me réfugier en Elle, quêter sur sa figure le réconfort que tu me refuses. Mais Elle semble dormir dans son fauteuil de paille et voile ses yeux, dont la nuance est celle de mon destin. D'une langue respectueuse, promenée à peine sur ses doigts pendants, je l'éveille. Oh! que sa première caresse dissipe le maléfice!

> *Il lèche la main retombante.*

ELLE, *criant.* — Ah!... Dieu, que tu m'as fait peur! On n'est pas serin comme cette bête... Tiens! (*Petite tape sèche sur le museau du coupable, dont l'énervement éclate en hurlements aigus.*) Tais-toi, tais-toi! Disparais de ma présence! Je ne sais pas ce que j'ai, mais je te déteste! Et ce chat qui est là à me regarder comme une tortue!

KIKI-LA-DOUCETTE, *hérissé.* — Si Elle me touche, je la dévore!

> *Ça va très mal finir... quand un roulement doux, lointain et proche, dont on ne sait s'il naît de l'horizon ou s'il sourd de la maison elle-même, les désintéresse tous trois de la querelle. Comme obéissant à un signe, Toby-Chien et Kiki-la-Doucette, le train de derrière bas, s'abritent, qui sous la bibliothèque, qui sous un fauteuil. Elle se détourne, inquiète, vers le jardin plombé, vers la muraille violacée des nuages qui, tout à coup, se lézarde de feu bleu aveuglant.*

Elle, Toby-Chien, Kiki-la-Doucette, *ensemble*. — Ha!

> *Au sec fracas qui éclate, les vitres tintent. Un souffle, soudain accouru, enveloppe la maison comme une étoffe claquante, et tout le jardin se prosterne.*

Elle, *angoissée*. — Mon Dieu! et les pommes!

Toby-Chien, *invisible*. — On me découperait les deux oreilles en lanières plutôt que de me faire sortir de là-dessous.

Kiki-la-Doucette, *invisible*. — Malgré moi, j'écoute, et c'est comme si je voyais. Elle se précipite et ferme les fenêtres. On court dans l'escalier... Aïe! encore une flamme terrible... Et tout s'écroule par-dessus! Plus rien... Sont-ils tous morts? Entre les franges du fauteuil, j'aperçois, en risquant de mourir, les premiers grêlons, graviers glacés qui trouent les feuilles de l'aristoloche. La pluie maintenant, en gouttes espacées, couleur d'argent, si lourdes que le sable se gaufre sous leur chute...

Elle, *navrée*. — J'entends tomber les pêches, et les noix vertes!

> *Ils se taisent tous trois. Pluie, éclairs*

palpitants, abois du vent, sifflement
des pins. Accalmie.

Toby-Chien. — On dirait que j'ai un peu
moins peur. Le bruit de la pluie détend mes
nerfs malades. Il me semble en sentir sur ma
nuque, sur mes oreilles, la ruisselante tiédeur.
Le vacarme s'éloigne. Je m'entends respirer.
Un jour plus blanc glisse jusqu'à moi sous cette
bibliothèque. Que fait-Elle? Je n'ose encore
sortir. Si au moins le Chat bougeait! *(Il avance*
une tête prudente de tortue; un éclair le rejette sous la
bibliothèque.) Ha! ça recommence. La pluie en
paquets contre les vitres! Le tablier de la
cheminée imite le roulement d'en haut; tout
s'écroule... et Elle m'a donné une tape sur le
nez!

Kiki-la-Doucette. — Goutte à goutte, de la
fenêtre mal jointe, filtre un petit ruisseau
brunâtre qui s'allonge sur le parquet, s'allonge,
s'allonge et serpente jusqu'à moi. J'y boirais,
tant j'ai soif et chaud. J'ai les coudes fatigués.
Fatiguées aussi sont mes oreilles, de s'agrandir
en girouettes vers tous les cataclysmes. Une
peur nerveuse serre encore mes mâchoires. Et
puis le siège de ce fauteuil trop bas m'agace les

poils du dos. Mais c'est un soulagement déjà de
pouvoir penser à cela, grâce à la trêve de silence
qui descend sur la maison. Le souvenir du
fracas bourdonne dans mes oreilles, avec le
murmure affaibli du vent et de la pluie. Que
fait-il, Lui que l'orage tourmente comme nous
et qui n'a point paru pour réduire les éléments
déchaînés? Voici qu'Elle ouvre la porte sur le
perron. N'est-ce point trop tôt?... Non, car les
poules caquettent et prédisent le beau temps en
enjambant les flaques avec des cris de vieilles
filles. Oh! l'odeur adorable qui vient jusqu'ici, si
jeune, si verte de feuillages mouillés et de terre
désaltérée, si neuve que je crois respirer pour la
première fois!

> *Il sort en rampant et va jusqu'au
> perron.*

TOBY-CHIEN, *tout à coup*. — Hum! que ça sent
bon! ça sent la promenade! Tout change si vite
qu'on n'a pas le temps de penser. Elle a ouvert
la porte? Courons. *(Il se précipite.)* Enfin! enfin!
le jardin a repris sa couleur de jardin! Une tiède
vapeur mouille mon nez grenu, je sens dans tous
mes membres le désir du bond et de la course.
L'herbe luit et fume, les escargots cornus tâtent,

du bout des yeux, le gravier rose, et les limaces, chinées de blanc et de noir, brodent le mur d'un ruban d'argent. Oh! la belle bête, dorée et verte, qui court dans le mouillé! La rattraperai-je? Gratterai-je de mes pattes onglées sa carapace métallique¡ jusqu'à ce qu'elle crève en faisant *croc*? Non. J'aime mieux rester contre Elle, qui, appuyée à la porte, respire longuement et sourit sans parler. Je suis heureux. Quelque chose en moi remercie tout ce qui existe. La lumière est belle, et je suis tout à fait certain qu'il n'y aura plus jamais d'orage.

KIKI-LA-DOUCETTE. — Je n'y tiens plus, je sors. Mes pattes délicates choisiront pour s'y poser, entre les flaques, de petits monticules déjà secs. Le jardin ruisselle, scintille et tremble d'un frisson à peine sensible, qui émeut les pierreries partout suspendues... Le soleil couchant, qui darde d'obliques pinceaux, rencontre dans mes yeux pailletés les mêmes rayons rompus, or et vert. Au fond du ciel encore bouleversé, une étincelante épée, jaillie d'entre deux nuages, pourchasse vers l'est les croupes fumeuses et bleuâtres, dont le galop roula sur nos têtes. L'odeur des daturas, qui rampait,

s'envole, enlacée à celle d'un citronnier meurtri
de grêle. O soudain Printemps! Les rosiers se
couronnent de moucherons. Un sourire involontaire étire les coins de ma bouche. Je vais jouer,
le cou tendu pour éviter les gouttes d'eau, à me
chatouiller l'intérieur des narines avec la pointe
d'une herbe parfumée. Mais je voudrais qu'Il
vînt enfin et me suivît, en admirant chacun de
mes mouvements. Ne viendra-t-il pas se réjouir
avec nous?

> *On entend fredonner le motif du Re-*
> *gensbogen : sol, si, ré, sol, la, si,*
> *— avec des bémols partout. — Une*
> *porte s'ouvre et se referme. Sous la*
> *chevelure mouillée de vigne, et de*
> *jasmin qui encadre la véranda, Il*
> *paraît, en même temps que l'Arc-*
> *en-ciel!*

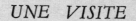

UNE VISITE

Un après-midi à Paris, l'hiver. Un atelier tiède où crépite doucement un poêle en forme de tour. Kiki-la-Doucette et Toby-Chien, celui-ci par terre, celui-là sur un coussin sacré, procèdent à la minutieuse toilette qui suit les siestes longues. La paix règne.

TOBY-CHIEN. — Mes ongles poussent plus vite ici qu'à la campagne.

KIKI-LA-DOUCETTE. — Moi, c'est le contraire.

TOBY-CHIEN. — Tiens!

KIKI-LA-DOUCETTE, *amer.* — Ça n'a rien d'étonnant, d'ailleurs. Ici, Elle me les rogne, à cause des tentures... Enfin! *(Emphatique.)* il faut subir ce qu'on ne peut empêcher.

TOBY-CHIEN. — Qu'est-ce que tu fais aujourd'hui?

KIKI-LA-DOUCETTE. — Mais... rien.

TOBY-CHIEN, *ironique.* — Pour changer.

KIKI-LA-DOUCETTE. — Pardon, pour ne pas changer. Quelle est cette rage de changement qui vous possède tous? Changer, c'est détruire. Il n'y a d'éternel que ce qui ne bouge pas.

Toby-Chien. — Voilà déjà bien trois heures que je suis éternel.

Kiki-la-Doucette. — Tu es sorti avec Elle, pourtant? Vous êtes rentrés tous deux en tumulte, avec des bruits de grelots secoués, de robe froissée, des éternuements de joie... Tu étais nimbé d'air glacé, et j'ai senti le bout de son nez froid comme un fruit, quand Elle m'a embrassé sur mon front plat, où des rayures presque noires écrivent l'M classique qui, assure-t-Elle, signifie Minet et Miaou.

Toby-Chien. — Oui... on a bien couru sur le talus des fortifications. Et puis nous sommes allés dans un magasin.

Kiki-la-Doucette. — C'est gai, un magasin?

Toby-Chien. — Pas souvent. Il y a beaucoup de gens pressés les uns contre les autres. Tout de suite je crains de la perdre et je colle, quoi qu'il arrive, mon museau à ses talons. Des pieds inconnus me poussent, me froissent, écrasent mes pattes. Je crie, d'une voix qu'étouffent les jupes... Quand nous sortons de là, nous avons l'air, Elle et moi, de deux naufragés...

KIKI-LA-DOUCETTE. — Les dieux me sauvent
d'un sort pareil! Cependant, pour moi, les
instants ont coulé paisibles. Lorsqu'Elle n'est
pas dans cette maison, rien ne trouble l'emploi
du temps que m'imposa une hygiène bien
entendue. Après mon déjeuner de foie rose et
de lait, une joie puérile et sans cause me restitue
quotidiennement l'âme d'un chaton encore vêtu
de duvet fou. Expansif et le ventre lourd, je
m'en vais vers Lui qui froisse de grands papiers
noircis et m'accueille d'un silencieux sourire.
Sur le même divan nous vautrons, Lui et moi,
notre sieste oisive. Le papier qu'il tient me
semble toujours le plus enviable, le plus craquant,
et souvent je crève d'une patte impérieuse le
journal-paravent qu'Il tend entre nous. Il
s'exclame, et la joie me tord, renversé sur le
dos en une espèce de danse horizontale qu'Il
nomme : faire la bayadère. Et puis, je ne sais
comment, tout languit à mes yeux, se voile et
s'éloigne... Je veux me relever, gagner mon
coussin, mais déjà mes rêves me séparent du
monde... C'est l'heure bienheureuse où tu
disparais avec Elle, où la maison se repose et
respire lentement. Je gis au fond d'un noir et
doux sommeil. Mes oreilles veillent seules et

s'orientent, antennes sensibles, vers les bruits vagues de portes et de sonnettes. *(Juste, on sonne. Toby-Chien et Kiki-la-Doucette tressaillent et rectifient leurs attitudes : le chat, assis, range autour de ses pattes de devant un panache de queue qui traînait; le chien, couché en sphinx, lève un museau résolu.)* Qu'est-ce que c'est?

Toby-Chien. — Un fournisseur?...

Kiki-la-Doucette, *haussant les épaules.* — Ce n'est pas la sonnette de l'escalier de service, voyons. Une visite?

Toby-Chien, *bondissant.* — Veine! on va prendre du thé et manger des gâteaux! A su-sucre! A pti-gâteaux!

Kiki-la-Doucette, *sombre.* — Et voir des dames qui crient, et qui me passent sur le dos des mains gantées, des mains en peau morte... Pouah!

> *Des voix féminines — sa voix aussi, à Elle. — Un grelottement cristallin; la porte s'ouvre : entre, seule, une terrière anglaise minuscule, noir et feu, ravie d'elle-même, qui s'avance en faisant du pas espagnol.*

La petite Chienne, *du haut de sa tête.* — Je suis la toute petite Chienne si jolie!

> *Toby-Chien n'a rien dit, médusé*
> *d'admiration et d'étonnement. Kiki-*
> *la-Doucette, indigné, a bondi sur le*
> *piano et assiste, malveillant et*
> *invisible.*

LA PETITE CHIENNE, *étonnée de n'entendre point*
l'explosion admirative qui l'accueille partout, répétant.
— Je suis la toute petite Chienne si jolie! Je ne
pèse que neuf cents grammes, mon collier est en
or, mes oreilles sont en satin noir, doublées de
caoutchouc luisant, mes ongles brillent comme
des becs d'oiseaux, et... *(Apercevant Toby-Chien.)*
Oh! quelqu'un. *(Silence.)* Il est bien.

> *Mines, courbettes, effleurements de*
> *museaux.*

TOBY-CHIEN. — Comme elle est petite!

LA PETITE CHIENNE. — Monsieur..., ne
m'approchez pas.

TOBY-CHIEN. — Pourquoi?

LA PETITE CHIENNE. — Je ne sais pas. Ma
maîtresse sait pourquoi. Elle n'est pas là. Elle
est restée dans l'autre chambre.

TOBY-CHIEN. — Quel âge avez-vous?

LA PETITE CHIENNE. — J'ai onze mois. *(Réci-*
tant.) J'ai onze mois, ma mère a été prix de

beauté à l'exposition canine, je ne pèse que neuf cents grammes, et...

Toby-Chien. — Vous l'avez déjà dit. Comment faites-vous pour être si petite?

Kiki-la-Doucette, *invisible sur le piano*. — Elle est laide. Elle sent mauvais. Elle a des pattes difformes et remue tout le temps. Et ce Chien qui fait des frais!

La petite Chienne, *très bavarde et coquette*. — C'est de naissance. Je tiens dans un manchon. Vous avez vu mon nouveau collier? Il est en or.

Toby-Chien. — Et ça qui pend après?

La petite Chienne. — C'est la médaille de ma mère, Monsieur, je ne la quitte jamais. J'arrive du Palais de Glace, j'y ai eu un succès fou. Figurez-vous que j'ai voulu mordre un monsieur qui parlait à ma maîtresse. Ce qu'on a ri!

> *Elle se tortille et pousse des cris d'oiseau.*

Toby-Chien, *à part*. — Quelle drôle de créature! Est-ce une Chienne vraiment? (*Il la flaire.*) Oui. Elle sent la poudre de riz, mais c'est une Chienne tout de même. (*Haut.*) Asseyez-vous

un instant, vous me faites mal au cœur en
remuant comme ça...

LA PETITE CHIENNE. — Je veux bien. *(Elle se
couche en lévrier miniature, les pattes de devant croisées
pour montrer la finesse de ses doigts.)* Vous étiez
tout seul ici?

TOBY-CHIEN, *regard vers le piano*. — Tout seul
de Chien, oui. Pourquoi?

LA PETITE CHIENNE. — Ça sent drôle.

TOBY-CHIEN. — Ça sent le Chat, sans doute.

LA PETITE CHIENNE. — Un Chat? qu'est-ce
qu'un Chat? je n'en ai jamais vu. On vous laisse
tout seul dans une chambre?

TOBY-CHIEN. — Ça arrive.

LA PETITE CHIENNE. — Et vous ne criez pas?
Moi, dès que je suis seule, je crie, je m'ennuie,
j'ai peur, je me trouve mal et je mange les
coussins.

TOBY-CHIEN. — Et on vous fouette.

LA PETITE CHIENNE, *outrée*. — On me...
Qu'est-ce que vous dites? Vous perdez la tête,
j'imagine. *(Soudain aimable.)* Ce serait dommage.
Vous avez de beaux yeux.

TOBY-CHIEN. — N'est-ce pas? on les voit beaucoup. Ils sont grands, et puis ils avancent. Elle dit que j'ai des yeux de langouste. Elle dit encore : " Ses beaux yeux de phoque, ses yeux dorés de crapaud... "

LA PETITE CHIENNE. — Qui, Elle?

TOBY-CHIEN, *simple*. — Elle.

LA PETITE CHIENNE. — Je ne comprends pas tout ce que vous dites, mais vous êtes si sympathique! Qu'est-ce que vous faites ce soir?

TOBY-CHIEN. — Mais... je dîne.

LA PETITE CHIENNE. — Mon Dieu, je pense bien. Je voulais savoir si on reçoit chez vous, si vous sortez...

TOBY-CHIEN. — Non, je suis déjà sorti.

LA PETITE CHIENNE. — En voiture?

TOBY-CHIEN. — A pied, naturellement.

LA PETITE CHIENNE. — Comment, naturellement? Moi, je ne sors guère qu'en voiture. Montrez le dessous de vos pattes? Quelle horreur! on dirait la pierre à repasser les couteaux. Regardez les miennes. Satin dessus, velours dessous.

Toby-Chien. — Je voudrais vous voir à la campagne, sur les cailloux.

La petite Chienne. — Mais j'y étais, Monsieur, à la campagne, l'été dernier, et il n'y avait pas de cailloux.

Toby-Chien. — Alors, ce n'était pas la campagne. Vous ne savez pas ce que c'est.

La petite Chienne, *vexée*. — Si, Monsieur! C'est du sable fin, du gazon en brosse fine qu'on balaye tous les matins, une chaise longue sur l'herbe, de grands coussins frais en cretonne, du lait qui mousse, le sommeil à l'ombre, et de petites pommes roses charmantes pour jouer avec.

Toby-Chien, *hochant la tête*. — Non. C'est la route en farine blanche qui cuit les paupières et brûle les pattes, l'herbe grésillante et dure qui sent bon où je me gratte le museau et les gencives, la nuit inquiétante, — car je suis seul à les garder, Elle et Lui. Couché dans ma corbeille, les battements de mon cœur surmené m'ôtent le sommeil. Un Chien, là-bas, me crie que le Mauvais Homme a passé sur le chemin. Vient-il de mon côté? Devrai-je, tout à l'heure, l'œil sanglant et la

langue crayeuse, bondir contre lui et dévorer sa
figure d'ombre?...

La petite Chienne, *frémissante et extasiée*. —
Encore, encore! oh! que j'ai peur!...

Toby-Chien, *modeste*. — Rassurez-vous, ça
n'est jamais arrivé. Tout ça, oui, c'est la campagne, et aussi la côte interminable à l'ombre de
la voiture, quand la soif, la faim, la chaleur et la
fatigue rendent l'âme résignée et sans espoir...

La petite Chienne, *fanatisée*. — Et alors?

Toby-Chien. — Alors, rien. On arrive tout
de même à la maison, au seau plein d'eau sombre
où l'on boit sans respirer (sa langue, dit-Elle,
sa grande langue, fendue au milieu comme un
pétale d'iris), pendant que des gouttelettes fines
éclaboussent délicieusement les paupières dou-
loureuses, les sourcils poudreux... Tout ça et
bien d'autres choses, c'est la campagne...

Kiki-la-Doucette, *sur le piano, rêveur*. —
Tout cela, oui, et les habitudes laissées l'an
passé, qu'on retrouve moulées à sa taille comme
un coussin marqué de l'empreinte d'un long
sommeil... Tout cela, et les nuits libres, le petit
rire triste de la chouette, qui seule chemine dans
l'air aussi discrètement que moi sur la terre...

Les rats d'argent pendus à la treille qui mangent les raisins sans cesser de me regarder... La cure d'amaigrissement sur la pierre du mur, ardente d'une chaleur noire, et d'où je me relève cuit, diminué, pâle, — mais svelte à faire envie aux matous de l'année... *(Revenant à lui avec un regard meurtrier pour la petite Chienne.)* Puisses-tu périr, bête puante, pour avoir évoqué ces joies révolues! Ne vas-tu pas disparaître, pour que je quitte ce froid piédestal où s'engourdissent mes pattes?

Toby-Chien, *émoustillé, à la petite Chienne*. — Laissons tout cela. Je ne saurais penser, quand vous êtes là, à autre chose qu'à vous. Je sens que je vous aime!

La petite Chienne, *baissant les yeux*. — D'amour?

Toby-Chien. — Naturellement.

La petite Chienne. — Si vite!

Toby-Chien. — Nous avons déjà perdu beaucoup de temps.

La petite Chienne. — Mais... nous avons causé. J'y ai pris grand plaisir. Je comprends de moins en moins pourquoi on m'interdit la société des jeunes gens...

TOBY-CHIEN. — Laissez-moi vous faire la cour.

LA PETITE CHIENNE. — Qu'est-ce que c'est?

TOBY-CHIEN. — Voilà. Je commence. Dressé sur mes pattes raidies, je piétine, je vous cerne de petits cris mélodieux. Ma queue tortillée vibre, mes flancs, ravalés par une respiration inquiète, me font plus mince et, par un art involontaire, mes oreilles crispées semblent plantées derrière ma nuque...

LA PETITE CHIENNE. — Ne m'approchez pas! Je suis troublée...

TOBY-CHIEN. — Déjà, pour l'emprise définitive et complète, ma patte puissante plie vos reins...

LA PETITE CHIENNE, *se dérobant*. — Aïe! brutal!

TOBY-CHIEN, *pressant*. — C'est qu'aussi on n'est pas petite comme vous! Vous ne pourriez pas monter sur un petit tabouret?

KIKI-LA-DOUCETTE, *irrité*. — Je ne pardonne pas à mes yeux de se souiller à un tel spectacle! Ces préludes parodient tristement nos sauvages amours... Cris d'égorgé, danses lascives, parade silencieuse où ma queue traîne en robe royale, étreintes où la volupté gémit martyrisée, devrai-je rougir de tout cela, à cause de ce couple... cynique?

TOBY-CHIEN, *plus résolu que courtois*. — Dites donc, espèce de petite allumeuse, ça va finir ce jeu de cache-cache?... Viens donc, tu ne le regretteras pas...

LA PETITE CHIENNE, *terrorisée et tentée*. — Mon Dieu! c'est terrible! faites de moi ce que vous voudrez...

KIKI-LA-DOUCETTE, *debout sur le piano, formidable*. — Vous n'allez pas faire ça ici, je pense?

LA PETITE CHIENNE *cherche d'où vient la voix effrayante, aperçoit la bête imprécatrice, le monstre inconnu et rayé, hérissé de moustaches et de sourcils, éclairé d'yeux qui lancent la mort... Elle s'enfuit en criant*. — Au secours, au secours! Il y a un tigre sur le piano!...

> *Elle s'évanouit dans les bras de sa maîtresse accourue, qui la console avec volubilité dans le langage*

coutumier : " Fifi ! Ma zézette ! ma
gougounette blonde, la zigouillette et
la troutrouille, ma gaguille, ma
poule d'eau mauve, ma lolie et ma
lélette ", etc., etc., etc. La séance
continue.

MUSIC-HALL

A la campagne, l'été. Elle somnole, sur une chaise longue de rotin. Ses deux amis, Toby-Chien le bull, Kiki-la-Doucette l'angora, jonchent le sable.

TOBY-CHIEN, *bâillant*. — Aaah!... ah!...

KIKI-LA-DOUCETTE, *réveillé*. — Quoi?

TOBY-CHIEN. — Rien. Je ne sais pas ce que j'ai. Je bâille.

KIKI-LA-DOUCETTE. — Mal à l'estomac?

TOBY-CHIEN. — Non. Depuis une semaine que nous sommes ici, il me manque quelque chose. Je crois que je n'aime plus la campagne.

KIKI-LA-DOUCETTE. — Tu n'as jamais aimé réellement la campagne. Asnières et Bois-Colombes bornent tes désirs ruraux. Tu es né banlieusard.

TOBY-CHIEN, *qui n'écoute pas*. — L'oisiveté me pèse. Je voudrais travailler.

KIKI-LA-DOUCETTE, *continuant*. — Banlieusard dis-je, et mégalomane. Travailler! O Phtah, tu l'entends, ce chien inutile. Travailler!

Toby-Chien, *noble*. — Tu peux rire. Pendant six semaines, j'ai gagné ma vie, moi, aux Folies-Élyséennes, avec Elle.

Kiki-la-Doucette. — Elle... c'est différent. Elle fait ce qui lui plaît. Elle est têtue, dispersée, extravagante... Mais toi! Toi, le brouillon, l'indécis, toi, le happeur de vide, le...

Toby- Chien, *théâtral*. — Vous n'avez pas autre chose à me dire?

Kiki-la-Doucette, *qui ignore Rostand*. — Si, certainement!

Toby-Chien, *rogue*. — Eh bien, rentre-le. Et laisse-moi tout à mon cuisant regret, à mes aspirations vers une vie active, vers ma vie du mois passé. Ah! les belles soirées! ah! mes succès! ah! l'odeur du sous-sol aux Folies-Élyséennes! Cette longue cave divisée en cabines exiguës, comme un rayon de ruche laborieuse, et peuplée de mille petites ouvrières qui se hâtent, en travesti bleu brodé d'or, un dard inoffensif au flanc, coiffées de plumes écumeuses... Je revois encore, éblouissant, ce tableau de l' "Entente cordiale" où défilait une armée de généraux aux cuisses rondes... Hélas, hélas... C'est à cette heure émouvante du défilé que nous arrivions, Elle et moi.

Elle s'enfermait, abeille pressée, dans sa cellule, et commençait à se peindre le visage afin de ressembler aux beaux petits généraux qui, au-dessus de nos têtes, martelaient la scène d'un talon indécis. J'attendais. J'attendais que, gainée d'un maillot couleur de hanneton doré, elle rouvrît sa cellule sur le fiévreux corridor... Couché sur mon coussin, je haletais un peu, en écoutant le bruit de la ruche. J'entendais les pieds pesants des guerriers mérovingiens, ces êtres terribles, casqués de fer et d'ailes de hiboux qui surgissaient au dernier tableau, sous le chêne sacré... Ils étaient armés d'arbres déracinés, moustachus d'étoupe blonde, et ils chantaient, attends... cette jolie valse lente :

> *Dès que l'aurore au loin paraît,*
> *Chacun s'empresse dans la forêt,*
> *Aux joies exquises de la chasse*
> *Dont jamais on ne se lasse.*

Ils se rassemblaient pour y tuer

> *... au fond des bois*
> *Des ribambelles*
> *De gazelles*
> *Et de dix-cors aux abois...*

KIKI-LA-DOUCETTE, *à part.* — Poésie, poésie !...

TOBY-CHIEN. — Adieu, tout cela! Adieu, ma scintillante amie, Madame Bariol-Taugé! Vous m'apparûtes plus belle qu'une armée rangée en bataille, et mon cœur chauvin, mon cœur de bull bien français gonfle, au souvenir des strophes enflammées dont vous glorifiâtes l' " Entente cordiale "!... Crête rose, ceinture bleue, robe blanche, vous étiez telle qu'une belle poule gauloise, et pourtant vous demeuriez

> *La Parisienne, astre vermeil,*
> *Apportant son rayon de soleil!*
> *La Parisienne, la v'là*
> *Pour cha-a-sser le spleen.*
> *Aussitôt qu'elle est là*
> *Tous les cœurs s'illuminent!*

KIKI-LA-DOUCETTE, *intéressé.* — De qui sont ces vers?

TOBY-CHIEN. — Je ne sais pas. Mais leur rythme impérieux rouvre en moi des sources d'amertume. J'attendais l'heure où les Élysée-Girls, maigres, affamées et joueuses, redescendraient de leur Olympe pour me serrer, l'une après l'autre, sur leurs gorges plates et dures, me laissant suffoqué, béat, le poil marbré de plaques roses et blanches... J'attendais, le cœur

secoué, l'instant enfin où Elle monterait à son
tour, indifférente, farouchement masquée d'une
gaîté impénétrable, vers le plateau, vers la
fournaise de lumière qui m'enivrait... Écoute,
Chat, j'ai vu, dans ma vie, bien des choses...

KIKI-LA-DOUCETTE, *à part, apitoyé*. — C'est
qu'il le croit.

TOBY-CHIEN. — Mais rien n'égale, dans
l'album de mes souvenirs, cette salle des Folies-
Élyséennes, où chacun espérait ma venue, où
l'on m'accueillait par une rumeur de bravos et
de rires!... Modeste, — et d'ailleurs myope —
j'allais droit à cet être étrange, tête sans corps,
chuchoteur, qui vit dans un trou, tout au bord de
la scène. Bien que j'en eusse fait mon ami, je
m'étonnais tous les soirs de sa monstruosité, et
je dardais sur lui mes yeux saillants de homard...
Mon second salut était pour cette frétillante
créature qu'on nommait Carnac et qui semblait
la maîtresse du lieu, accueillant tous les arrivants
du même sourire à dents blanches, du même
" ah! " de bienvenue. Elle me plaisait entre
toutes. Hors de la scène, sa jeune bouche fardée
jetait, dans un rire éclatant, des mots qui me
semblaient plus frais que des fleurs mouillées :

" Bougre d'empoté, sacré petit mac... Vieux chameau d'habilleuse, elle m'a foutu entre les jambes une tirette qui me coupe le... " j'ai oublié le reste. Après que j'avais, d'une langue courtoise, léché les doigts menus de cette enfant délicate, je courais de l'une à l'autre avant-scène, pressé de choisir les bonbons qu'on me tendait, minaudant pour celle-ci, aboyant pour celui-là...

KIKI-LA-DOUCETTE. — Cabotin, va!

TOBY-CHIEN. — ... Et puis-je oublier l'heure que je passai dans l'avant-scène de droite, au creux d'un giron de mousseline et de paillettes, bercé contre une gorge abondante où pendaient des colliers?... Mais Elle troubla trop tôt ma joie et vint, ayant dit et chanté, me pêcher par la peau de la nuque, me reprendre aux douces mains gantées qui voulaient me retenir... Cette heure merveilleuse finit dans le ridicule, car Elle me brandit aux yeux d'un public égayé, en criant : " Voilà, Mesdames et Messieurs, le sale cabot qui " fait " les avant-scènes! " Elle riait aussi, la bouche ironique et les yeux lointains, avec cet air agressif et gai qui sert de masque à sa vraie figure, tu sais?

Kiki-la-Doucette, *bref.* — Je sais.

Toby-Chien, *poursuivant.* — Nous descendions, après, vers sa cellule lumineuse où Elle essuyait son visage de couleur, la gomme bleue de ses cils... Elle... *(la regardant endormie.)* Elle est là étendue. Elle sommeille. Elle semble ne rien regretter. Il y a sur son visage un air heureux de détente et d'arrivée. Pourtant quand Elle rêve de longues heures, la tête sur son bras plié, je me demande si Elle n'évoque pas, comme moi, ces soirs lumineux de printemps parisien, tout enguirlandés de perles électriques? C'est peut-être cela qui brille au plus profond de ses yeux?

Kiki-la-Doucette. — Non. Je sais, moi. Elle m'a parlé!

Toby-Chien, *jaloux.* — A moi aussi. Elle me parle.

Kiki-la-Doucette. — Pas de la même manière. Elle te parle de la température, de la tartine qu'Elle mange, de l'oiseau qui vient de s'envoler. Elle te dit : " Viens ici. Gare à ton derrière. Tu es beau. Tu es laid. Tu es mon crapaud bringé, ma sympathique grenouille. Je te défends de manger ce crottin sec... "

Toby-Chien. — C'est déjà très gentil, tu ne trouves pas?

Kiki-la-Doucette. — Très gentil. Mais nos confidences, d'Elle à moi, de moi à Elle, sont d'autre sorte. Depuis que nous sommes ici, Elle s'est confiée, presque sans paroles, à mon instinct divinateur. Elle se délecte d'une tristesse et d'une solitude plus savoureuses que le bonheur. Elle ne se lasse pas de regarder changer la couleur des heures. Elle erre beaucoup, mais pas loin, et son activité piétine sur ces dix hectares bornés de murs en ruine. Tu la vois parfois debout sur la cime de notre montagne, sculptée dans sa robe par le vent amoureux, les cheveux tour à tour droits et couchés comme les épis du seigle et pareille à un petit génie de l'Aventure... Ne t'en émeus pas. Son regard ne défie pas l'espace; il y cherche, il y menace seulement l'intrus en marche vers sa demeure, l'assaillant de sa retraite... dirai-je sentimentale?

Toby-Chien. — Dis-le.

Kiki-la-Doucette. — Elle n'aime point l'inconnu, et ne chérit sans trouble que ce lieu ancien, retiré, ce seuil usé par ses pas enfantins, ce parc triste dont son cœur connaît tous les

aspects. Tu la crois assise là, près de nous? Elle
est assise en même temps sur la roche tiède, au
revers de la combe et aussi sur la branche
odorante et basse du pin argenté... Tu crois
qu'elle dort? Elle cueille en ce moment, au
potager, la fraise blanche qui sent la fourmi
écrasée. Elle respire sous la tonnelle de roses
l'odeur orientale et comestible de mille roses
vineuses, mûres en un seul jour de soleil. Ainsi
immobile et les yeux clos, elle habite chaque
pelouse, chaque arbre, chaque fleur, elle se
penche à la fois, fantôme bleu comme l'air, à
toutes les fenêtres de sa maison chevelue de
vigne... Son esprit court comme un sang subtil
le long des veines de toutes les feuilles, se
caresse au velours des géraniums, à la cerise
vernie, et s'enroule à la couleuvre poudrée de
poussière, au creux du sentier jaune... C'est
pourquoi tu la vois si sage et les yeux
clos, car ses mains pendantes, qui semblent
vides, possèdent et égrènent tous les instants
d'or de ce beau jour lent et pur.

TOBY-CHIEN PARLE

Un petit intérieur tranquille. A la cantonade, bruits de cataclysme. Kiki-la-Doucette se cramponne vainement à un somme illusoire. Une porte s'ouvre et claque sous une main invisible, après avoir livré passage à Toby-Chien, petit bull démoralisé.

KIKI-LA-DOUCETTE, *s'étirant.* — Ah! ah! Qu'est-ce que tu as encore fait?

TOBY-CHIEN, *piteux.* — Rien.

KIKI-LA-DOUCETTE. — A d'autres! Avec cette tête-là? Et ces rumeurs de catastrophe?

TOBY-CHIEN. — Rien, te dis-je! Plût au Ciel! Tu me croiras si tu veux, mais je préférerais avoir cassé un vase, ou mangé le petit tapis persan auquel Elle tient si fort. Je ne comprends pas. Je tâtonne dans les ténèbres. Je...

KIKI-LA-DOUCETTE, *royal.* — Cœur faible! Regarde-moi. Comme du haut d'un astre, je considère ce bas monde. Imite ma sérénité divine...

TOBY-CHIEN, *interrompant, ironique.* — ... et
enferme-toi dans le cercle magique de ta queue.
n'est-ce pas? Je n'ai pas de queue, moi, ou si peu!
Et jamais je ne me sentis le derrière si serré.

KIKI-LA-DOUCETTE, *intéressé, mais qui feint*
l'indifférence. — Raconte.

TOBY-CHIEN. — Voilà. Nous étions bien
tranquilles, Elle et moi, dans le cabinet de
travail. Elle lisait des lettres, des journaux, et
ces rognures, collées, qu'Elle nomme pompeuse-
ment l' " Ar-gus de la Presse ", quand tout à
coup : " Zut! s'écria-t-Elle. Et même, crotte de
bique! " Et sous son poing assené, la table
vibra, les papiers volèrent... Elle se leva, marcha
de la fenêtre à la porte, se mordit un doigt, se
gratta la tête, se frotta rudement le bout du nez.

J'avais soulevé du front le tapis de la table et
mon regard cherchait le sien... " Ah! te voilà,
ricana-t-Elle. Naturellement, te voilà. Tu as le
sens des situations. C'est bien le moment de te
coiffer à l'orientale avec une draperie turque sur
le crâne et des franges-boule qui retombent, des
franges-boule, des franges-bull, parbleu! Ce
Chien fait des calembours à présent! il ne me
manquait que ça! " D'une chiquenaude, Elle

rejeta le bord du tapis qui me coiffait, puis leva
vers le plafond des bras pathétiques : " J'en ai
assez! s'écria-t-Elle. Je veux... je veux... je
veux faire ce que je veux! "

Un silence effrayant suivit son cri, mais je lui
répondais du fond de mon âme : " Qui T'en
empêche, ô Toi qui règnes sur ma vie, Toi qui
peux presque tout, Toi qui, d'un plissement
volontaire de tes sourcils, rapproches dans le
ciel les nuages? "

Elle sembla m'entendre et repartit un peu
plus calme : " Je veux faire ce que je veux. Je
veux jouer la pantomime, même la comédie. Je
veux danser nue si le maillot me gêne et humilie
ma plastique, je veux me retirer dans une île,
s'il me plaît, ou fréquenter des dames qui vivent
de leurs charmes, pourvu qu'elles soient gaies,
fantasques, voire mélancoliques et sages, comme
sont beaucoup de femmes de joie. Je veux
écrire des livres tristes et chastes, où il n'y aura
que des paysages, des fleurs, du chagrin, de la
fierté, et la candeur des animaux charmants
qui s'effraient de l'homme... Je veux sourire à
tous les visages aimables et m'écarter des gens
laids, sales et qui sentent mauvais. Je veux
chérir qui m'aime et lui donner tout ce qui est

à moi dans le monde : mon corps rebelle au
partage, mon cœur si doux et ma liberté! Je
veux... je veux!... Je crois bien que si quelqu'un
ce soir se risquait à me dire : " Mais enfin, ma
chère... " eh bien, je le tue... Ou je lui ôte un
œil. Ou je le mets dans la cave... "

KIKI-LA-DOUCETTE, *pour lui-même*. — Dans la
cave? Je considérerais cela comme une récom-
pense, car la cave est un enviable séjour, d'une
obscurité bleutée par le soupirail, embaumé de
paille moisie et de l'odeur alliacée du rat.

TOBY-CHIEN, *sans entendre*. — " ... J'en ai assez,
vous dis-je! " (Elle criait cela à des personnes
invisibles, et moi, pauvre moi, je tremblais sous
la table.) " Et je ne verrai plus ces tortues-là! "

KIKI-LA-DOUCETTE. — Ces... quoi?

TOBY-CHIEN. — Ces tortues-là; je suis sûr du
mot. Quelles tortues? Elle nous cache tant de
choses! " ... Ces tortues-là! Elles sont deux, trois,
quatre, — joli nid de fauvettes! — pendues à
Lui, et qui Lui roucoulent et Lui écrivent :
" Mon chéri, tu m'épouseras si Elle meurt,
" dis? " Je crois bien! Il les épouse déjà, l'une
après l'autre. Il pourrait choisir. Il préfère

collectionner. Il Lui faut — car elles en deman-
dent! — la Femme-du-Monde couperosée qui
s'occupe de musique et qui fait des fautes
d'orthographe, la vierge mûre qui Lui écrit,
d'une main paisible de comptable, les mille
z'horreurs; l'Américaine brune aux cuisses
plates; et toute la séquelle des sacrées petites
toquées en cols plats et cheveux courts qui s'en
viennent, cils baissés et reins frétillants : " O
" Monsieur, c'est moi qui suis la vraie Clau-
" dine... " La vraie Claudine! et la fausse
mineure, tu parles!

    " Toutes, elles souhaitent ma mort, m'inven-
tent des amants; elles l'entourent de leur ronde
effrénée. Lui faible, Lui volage et amoureux de
l'amour qu'Il inspire, Lui qui goûte si fort ce
jeu de se sentir empêtré dans cent petits doigts
crochus de femmes... Il a délivré en chacune la
petite bête mauvaise et sans scrupules, matée —
si peu — par l'éducation; elles ont menti,
forniqué, cocufié avec une joie et une fureur de
harpies, autant par haine de moi que pour
l'Amour de Lui...

    " Alors... adieu tout! adieu... presque tout. Je
Le leur laisse. Peut-être qu'un jour Il les verra
comme je les vois, avec leurs visages de petites

truies gloutonnes. Il s'enfuira, effrayé, frémissant, dégoûté d'un vice inutile... "

Je haletais autant qu'Elle, ému de sa violence. Elle entendit ma respiration et se jeta à quatre pattes, sa tête sous le tapis contre la mienne...

" Oui, inutile! je maintiens le mot. Ce n'est pas un sale petit bull qui me fera changer d'avis, encore! Inutile s'Il méconnaît l'amour véritable! Quoi?... ma vie aussi est inutile? Non, Toby-Chien. Moi, j'aime. J'aime tant tout ce que j'aime! Si tu savais comme j'embellis tout ce que j'aime, et quel plaisir je me donne en aimant! Si tu pouvais comprendre de quelle force et de quelle défaillance m'emplit ce que j'aime!... C'est cela que je nomme le frôlement du bonheur. Le frôlement du bonheur... caresse impalpable qui creuse le long de mon dos un sillon velouté, comme le bout d'une aile creuse l'onde... Frisson mystérieux prêt à se fondre en larmes, angoisse légère que je cherche et qui m'atteint devant un cher paysage argenté de brouillard, devant un ciel où fleurit l'aube, sous le bois où l'automne souffle une haleine mûre et musquée... Tristesse voluptueuse des fins de jour, bondissement sans cause d'un cœur plus mobile que celui du chevreuil, tu es le frôlement même du bonheur, toi qui gis au sein des heures les plus pleines... et jusqu'au fond du regard de ma sûre amie...

"Tu oserais dire ma vie inutile?... Tu n'auras pas de pâtée, ce soir!"

Je voyais la brume de ses cheveux danser autour de sa tête qu'Elle hochait furieusement. Elle était comme moi, à quatre pattes, aplatie, comme un chien qui va s'élancer, et j'espérai un peu qu'Elle aboierait...

KIKI-LA-DOUCETTE, *révolté*. — Aboyer, Elle! Elle a ses défauts, mais tout de même, aboyer!... Si Elle devait parler en quatre-pattes, Elle miaulerait.

TOBY-CHIEN, *poursuivant*. — Elle n'aboya point, en effet. Elle se redressa d'un bond, rejeta en arrière les cheveux qui lui balayaient le visage...

KIKI-LA-DOUCETTE. — Oui. Elle a la tête angora. La tête seulement.

TOBY-CHIEN. — Et Elle se remit à parler, incohérente : "Alors, voilà! je veux faire ce que je veux. Je ne porterai pas de manches courtes en hiver, ni de cols hauts en été. Je ne mettrai pas mes chapeaux sens devant derrière, et je n'irai

plus prendre le thé chez Rimmel's, non... Redels-
perger, non... Chose, enfin. Et je n'irai plus aux
vernissages. Parce qu'on y marche dans un tas
de gens, l'après-midi, et que les matins y sont
sinistres, sous ces voûtes où frissonne un peuple
nu et transi de statues, parmi l'odeur de cave et
de plâtre frais... C'est l'heure où quelques femmes
y toussent, vêtues de robes minces, et de rares
hommes errent, avec la mine verte d'avoir passé
la nuit là, sans gîte et sans lit...

"Et le monotone public des premières ne verra
plus mon sourire abattu, mes yeux qui se creusent
de la longueur des entractes et de l'effort qu'il
faut pour empêcher mon visage de vieillir,
effort reflété par cent visages féminins, raidis de
fatigue et d'orgueil défensif... Tu m'entends,
s'écria-t-Elle, tu m'entends, crapaud bringé,
excessif petit bull cardiaque! je n'irai plus aux
premières, sinon de l'autre côté de la rampe.
Car je danserai encore sur la scène, je danserai
nue ou habillée, pour le seul plaisir de danser,
d'accorder mes gestes au rythme de la musique,
de virer, brûlée de lumière, aveuglée comme
une mouche dans un rayon... Je danserai,
j'inventerai de belles danses lentes où le voile
parfois me couvrira, parfois m'environnera

comme une spirale de fumée, parfois se tendra
derrière ma course comme la toile d'une barque...
Je serai la statue, le vase animé, la bête bondis-
sante, l'arbre balancé, l'esclave ivre...

" Toby-Chien, chien de bon sens, écoute bien :
je ne me suis jamais sentie plus digne de moi-
même! Du fond de la sévère retraite que je me
suis faite au fond de moi, il m'arrive de rire tout
haut, réveillée par la voix cordiale d'un maître
de ballet italien : " Hé, ma minionne, qu'est-ce
" que tu penses? je te dis : sauts de basque, deux!
" et un petit pour finir!... "

" La familiarité professionnelle de ce luisant
Méridional ne me blesse point, ni l'amicale veu-
lerie d'une pauvre petite marcheuse à cinquante
francs par mois, qui se lamente, résignée : "Nous
" autres artistes, n'est-ce pas, on ne fait pas tou-
" jours comme on veut... " Et si le régisseur
tourne vers moi, au cours d'une répétition, son
mufle de dogue bonasse, en graillonnant : "C'est
" malheureux que vous ne pouvez pas taire vos
" gueules, tous... " je ne songe pas à me fâcher,
pourvu qu'au retour, lorsque je jette à la volée
mon chapeau sur le lit, une voix chère, un peu
voilée, murmure : " Vous n'êtes pas trop fati-
" guée, mon amour?... "

Sa voix à Elle avait molli sur ces mots. Elle répéta comme pour Elle-même, avec un sourire contenu : " Vous n'êtes pas trop fatiguée, mon amour ? " puis soudain éclata en larmes nerveuses, des larmes vives, rondes, pressées, en gouttes étincelantes qui sautaient sur ses joues, joyeusement... Mais moi, tu sais, quand Elle pleure, je sens la vie me quitter...

KIKI-LA-DOUCETTE. — Je sais, tu t'es mis à hurler ?

TOBY-CHIEN, *évasif.* — A hurler, non... Je mêlai mes larmes aux siennes, voilà tout. Mal m'en prit ! Elle me saisit par la peau du dos, comme une petite valise carrée, et de froides injures tombèrent sur ma tête innocente : " Mal élevé. Chien hystérique. Saucisson larmoyeur. Crapaud à cœur de veau. Phoque obtus... " Tu sais le reste. Tu as entendu la porte, le tisonnier qu'elle a jeté dans la corbeille à papier, et le seau à charbon qui a roulé béant, et tout...

KIKI-LA-DOUCETTE. — J'ai entendu. J'ai même entendu, ô Chien, ce qui n'est pas parvenu à ton entendement de bull simplet. Ne cherche pas. Elle et moi, nous dédaignons le plus souvent de nous expliquer. Il m'arrive, lorsqu'une main inexperte me caresse à rebours, d'interrompre un paisible et sincère ronron par un khh! féroce, suivi d'un coup de griffe foudroyant comme une étincelle... " Que ce chat est traître! " s'écrie l'imbécile... Il n'a vu que la griffe, il n'a pas deviné l'exaspération nerveuse, ni la souffrance aiguë qui lancine la peau de mon dos... Quand Elle agit follement, Elle, ne dis pas, en haussant tes épaules carrées : " Elle est folle. " Plutôt, cherche la main maladroite, la piqûre insupportable et cachée qui se manifeste en cris, en rires, en course aveugle vers tous les risques...

LA CHIENNE

Le sergent permissionnaire ne trouva pas, en arrivant à Paris, sa maîtresse chez elle. Mais il fut quand même accueilli par des cris chevrotants de surprise et de joie, étreint, mouillé de baisers : Vorace, sa chienne de berger, la chienne qu'il avait confiée à sa jeune amie, l'enveloppa comme une flamme, et le lécha d'une langue pâlie par l'émotion. Cependant, la femme de chambre menait autant de bruit que la chienne, et s'écriait :

" Ce que c'est que la malchance ! Madame qui est juste à Marlotte pour deux jours, pour fermer la propriété de Madame. Les locataires de Madame viennent de s'en aller, Madame fait l'inventaire des meubles. Heureusement que ce n'est pas au bout du monde !... Monsieur me fait une dépêche pour Madame ? En la mettant tout de suite, Madame sera là demain matin avant le déjeuner. Monsieur devrait coucher ici... Monsieur veut-il que j'allume le chauffe-bain ?

— Mais je me suis baigné chez moi, Lucie... Ça se lave, un permissionnaire ! " Il toisa dans la glace son image bleuâtre et roussie, couleur des

granits bretons. La chienne briarde, debout
auprès de lui dans un silence dévot, tremblait de
tout son poil. Il rit de la voir si ressemblante à
lui-même, grise, bleue et bourrue :

 " Vorace! "

Elle leva sur son maître un regard d'amour, et
le sergent s'émut en songeant soudain à sa maîtresse, une Jeanine très jeune et très gaie, — un
peu trop jeune, souvent trop gaie...

Ils dînèrent tous deux, l'homme et la chienne,
celle-ci fidèle aux rites de leur existence ancienne,
happant le pain, aboyant aux mots prescrits,
figée dans un culte si brûlant que l'heure du
retour abolissait pour elle les mois d'absence.

 " Tu m'as bien manqué, lui avoua-t-il tout
bas. Oui, toi aussi! "

Il fumait maintenant, à demi étendu sur le
divan. La chienne couchée comme les lévriers
des tombeaux, feignait de dormir et ne remuait
pas les oreilles. Ses sourcils seuls, bougeant au
moindre bruit, trahissaient sa vigilance.

Le silence hébétait l'homme surmené, et sa
main qui tenait la cigarette glissait le long du
coussin, écorchant la soie. Il secoua son sommeil,
ouvrit un livre, mania quelques bibelots nouveaux, une photographie qu'il ne connaissait pas

encore : Jeanine en jupe courte, les bras nus, à la campagne.

" Instantané d'amateur... Elle est charmante... "

Au verso de l'épreuve non collée, il lut :

" 5 juin 1916... J'étais... où donc, le 5 juin?... Par là-bas, du côté d'Arras... 5 juin... Je ne connais pas l'écriture. "

Il se rassit et fut repris d'un sommeil qui chassait toute pensée. Dix heures sonnèrent; il eut encore le temps de sourire au son grave et étoffé de la petite pendule qui avait, disait Jeanine, la voix plus grande que le ventre... Dix heures sonnèrent et la chienne se leva.

" Chut! fit le sergent assoupi. Couchez! "

Mais Vorace ne se recoucha pas, s'ébroua, étira ses pattes, ce qui équivaut, pour un chien, à mettre son chapeau pour sortir. Elle s'approcha de son maître et ses yeux jaunes questionnèrent clairement.

" Eh bien?

— Eh bien, répondit-il, qu'est-ce que tu as? "

Elle baissa les oreilles pendant qu'il parlait, par déférence, et les releva aussitôt.

" Oh! soupira le sergent, que tu es ennuyeuse! Tu as soif! Tu veux sortir? "

Au mot "sortir", Vorace rit et se mit à haleter doucement, montrant ses belles dents et le pétale charnu de sa langue.

"Allons, viens, on va sortir. Mais pas longtemps. Je meurs de sommeil, moi, tu sais!"

Dans la rue, Vorace enivrée aboya d'une voix de loup, sauta jusqu'à la nuque de son maître, chargea un chat, joua en rond "au chemin de fer de ceinture". Son maître la grondait tendrement, et elle paradait pour lui. Enfin, elle reprit son sérieux et marcha posément. Le sergent goûtait la nuit tiède et allait au gré de la chienne, en chantonnant deux ou trois pensées paresseuses :

" Je verrai Jeanine demain matin... Je vais me coucher dans un bon lit... J'ai encore sept jours à passer ici... "

Il s'aperçut que sa chienne, en avant, l'attendait, sous un bec de gaz, avec le même air d'impatience. Ses yeux, sa queue battante et tout son corps questionnaient :

"Eh bien! Tu viens?"

Il la rejoignit, elle tourna la rue d'un petit trot résolu. Alors il comprit qu'elle allait quelque part.

" Peut-être, se dit-il, que la femme de chambre a l'habitude... Ou Jeanine... "

Il s'arrêta un moment, puis repartit, suivant la chienne, sans même s'apercevoir qu'il venait de cesser, à la fois, d'être fatigué, d'avoir sommeil et de se sentir heureux. Il pressa le pas, et la chienne joyeuse le précéda, en bon guide.

" Va, va... ", commandait de temps en temps le sergent.

Il regardait le nom d'une rue, puis repartait. Point de passants, peu de lumière ; des pavillons, des jardins. La chienne, excitée, vint mordiller sa main pendante, et il faillit la battre, retenant une brutalité qu'il ne s'expliquait pas.

Enfin elle s'arrêta : " Voilà, on est arrivés ! " devant une grille ancienne et disloquée, qui protégeait le jardin d'une maisonnette basse chargée de vigne et de bignonier, une petite maison peureuse et voilée...

" Eh bien, ouvre donc ! " disait la chienne campée devant le portillon de bois.

Le sergent leva la main vers le loquet, et la laissa retomber. Il se pencha vers la chienne, lui montra du doigt un fil de lumière au long des volets clos, et lui demanda tout bas :

" Qui est là ?... Jeanine ?... "

La chienne poussa un : " Hi! " aigu et aboya.

" Chut! " souffla le sergent en fermant de ses mains la gueule humide et fraîche...

Il étendit encore un bras hésitant vers la porte et la chienne bondit. Mais il la retint par son collier et l'emmena sur l'autre trottoir, d'où il contempla la maison inconnue, le fil de lumière rosée. Il s'assit sur le trottoir, à côté de la chienne. Il n'avait pas encore rassemblé les images ni les pensées qui se lèvent autour d'une trahison possible, mais il se sentait singulièrement seul, et faible.

" Tu m'aimes? " murmura-t-il à l'oreille de la chienne.

Elle lui lécha la joue.

" Viens, on s'en va. "

Ils repartirent, lui en avant cette fois. Et quand ils furent de nouveau dans le petit salon, elle vit qu'il remettait du linge et des pantoufles dans un sac qu'elle connaissait bien. Respectueuse et désespérée, elle suivait tous ses mouvements, et des larmes tremblaient, couleur d'or, sur ses yeux jaunes. Il la prit par le cou pour la rassurer :

" Tu pars aussi. Tu ne me quitteras plus. Tu ne pourras pas, la prochaine fois, me raconter "le

reste ". Peut-être que je me trompe... Peut-être
t'ai-je mal comprise... Mais tu ne dois pas rester
ici. Ton âme n'est pas faite pour d'autres secrets
que les miens... "

Et tandis que la chienne frémissait, encore
incertaine, il lui tenait la tête entre ses mains, en
lui parlant tout bas :

" Ton âme... Ton âme de chienne... Ta belle
âme... "

CELLE QUI EN REVIENT

Un salon paisible. Crépuscule d'hiver. Feu de bois dans la cheminée. La vieille chatte persane fait sa toilette, minutieuse en tout comme sont les personnes âgées. Elle y met le temps, elle n'a pas autre chose à faire. La chienne bull se rôtit le côté droit quand le gauche est cuit à point, puis le côté gauche quand le côté droit n'en peut plus...

A l'écart dans l'ombre, gît une chienne de berger, briarde osseuse, aux yeux couleur de feu, qui porte un collier neuf.

LA VIEILLE CHATTE, *à elle-même en se lavant. Elle radote mais avec une extrême distinction.* — Ciel, un poil rebroussé... Dieux, un œuf de puce... Eh quoi, un brin d'herbe sèche... Fi, une crotte de puce... Ciel, un poil rebroussé... Dieux, etc., etc., etc.

Elle continue.

LA CHIENNE BULL, *haussant les épaules.* — Si on vous disait que vous mourrez d'une ménin-

gite, Persane, vous ne le croiriez sans doute
pas?

La vieille Chatte. — Mon Dieu, le vétéri-
naire a bien prétendu l'autre jour que vous aviez
une maladie de cœur; après cela, ne peut-on tout
croire? *(Se lavant.)* Cieux, une trace de lait de
ce matin...

Elle continue.

La Bergère, *en sursaut*. — Est-ce qu'il est
tard?

La Chienne Bull. — Je ne sais pas, pourquoi? Vous avez faim?

La Bergère. — Non.

La vieille Chatte. — Qui a parlé du dîner?
(Elle bâille.) Dès que l'on parle de manger, j'ai
faim : c'est nerveux. *(Se lavant.)* Pouah, une
écaille de sardine...

Elle continue. Silence.

La Bergère, *brusque*. — C'est la porte d'entrée
qui se referme.

La Chienne Bull. — Mais non, voyons!
C'est à l'étage au-dessus. Qu'est-ce que vous
avez à trembler comme ça?

La Bergère. — Est-ce que je tremble? je n'en savais rien.

La Chienne Bull. — Vous avez froid? Approchez-vous du feu.

La Bergère. — Je n'ai pas froid.

La Chienne Bull. — Alors vous avez peur?

La Bergère, *tressaillant*. — Peur? je ne sais pas... Quelle heure peut-il être?

La Chienne Bull, *les yeux au ciel*. — Ah! là! là!... J'en ai une patience!... Vous tenez beaucoup à savoir l'heure? Quand on se met à table, c'est qu'il est l'heure de manger, il est l'heure de se coucher quand on va au panier, et c'est l'heure de sortir quand on décroche du clou les colliers... Soit dit sans reproches, le vôtre est magnifique.

La Bergère. — Vous trouvez? Il y a trois jours, j'avais pour collier un bout de corde qu'Il avait trouvée là-bas.

La Chienne Bull. — Où là-bas?

La Bergère, *laconique*. — Là-bas, d'où je reviens avec Lui... Où est-il?

La Chienne Bull. — Qui?

La Bergère, *simple*. — Lui.

La Chienne Bull. — Ah! oui... Pardonnez-moi, mais je l'ai si peu vu depuis quelques années, que j'oublie encore son retour. Et pourtant je l'aime bien, vous savez?

La vieille Chatte, *qui est bleue*. — Oui, moi aussi. Il est d'une jolie couleur. Une sorte de gris bleu, bleu gris... Une très jolie couleur. Quand s'en va-t-Il?

La Bergère, *palpitante*. — Il va partir? Pourquoi dites-vous qu'Il va partir?

La vieille Chatte, *surprise*. — Dame, c'est dans l'ordre des choses. Il vient ici, me prend dans ses bras, fait sauter la Bull par-dessus la cravache, embrasse Celle qui nous garde ici et qui lui appartient, à Lui, puis au bout de quelques jours, Il s'en va. C'est ainsi. Ce fut toujours ainsi depuis... *(elle cherche.)* très longtemps. Alors je pense qu'Il va partir.

La Bergère, *agitée*. — Pas sans moi, pas sans moi!

     Elle se lève et va flairer la porte.

La Chienne Bull, *à la vieille Chatte*. — Ça la reprend.

La vieille Chatte. — Quelle agitation! Que

de bruit? *(Se lavant.)* Tiens, une miette de pain...
Cette Bergère va tourner ainsi sans repos, et sans
repos aller de la fenêtre à la porte, de la porte
à la fenêtre. C'est nerveux.

La Chienne Bull. — C'est peut-être nerveux,
mais c'est gênant pour les autres. Ah! la maison
ne vaut pas ce qu'elle valait la semaine dernière.
Lui se couche tôt. Elle se lève tard. Elle sort avec
Lui et néglige de m'emmener. Elle ne m'appelle
plus le matin sur son lit, et puis Il nous a amené
cette Bergère qui gronde à tout venant, serre la
queue entre les jambes comme un chien trouvé
et se cogne dans les meubles...

La vieille Chatte. — Oui... Il y a du vrai.
J'ai surtout constaté qu'Il boit beaucoup de lait
le matin. Tout juste s'Il m'en laisse un fond de
tasse... *(Elle bâille.)* Aâh!... Je vous demande
pardon, c'est parce que j'ai parlé du lait... C'est
nerveux.

La Bergère, *en arrêt contre la fente de la porte*.
— Où est-Il? Il ne revient pas.

La Chienne Bull, *excédée*. — Oh! Vous!... Il
est allé dans des magasins avec Elle. Il est sorti
avec Elle en taxi, en train de ceinture... Il est
sorti, quoi! On vous croirait née d'hier.

La Bergère. — Je ne comprends pas ce que vous dites. Votre tranquillité me confond. Il est sorti, dites-vous, et vous riez!

La vieille Chatte. — Ma chère, ce n'est point une tragédie, que je sache.

La Bergère. — Qu'en savez-vous? Ignorez-vous donc ce qu'il y a de l'autre côté de la porte, hors de l'endroit où nous sommes, pour un moment à l'abri?

La Chienne Bull. — Nous n'y pensons pas. Pourquoi songer à l'escalier froid, à l'oiseuse concierge, aux enfants criards qui lancent des toupies sur le trottoir, aux voitures qui surgissent et, surtout, aux flaques d'eau?

La Bergère, *qui tend l'oreille à tous les bruits.* — Les flaques d'eau, ce n'est rien...

La vieille Chatte, *frémissant d'horreur.* — Rien? Ah! je pâme...

La Bergère. — Mais le reste...

La Chienne Bull. — Quel reste?

La Bergère. — L'ennemi... L'embûche... La balle et l'éclat de fer, et ce bruit terrible qui remue l'air et les entrailles de la terre...

Elle se tait et tremble.

La Chienne Bull. — Pourquoi tremblez-vous toujours?

La Bergère. — Je tremble? Je ne savais pas. *(Silence.)* Où est-Il? Comme Il tarde... L'heure est dangereuse. Ses amis qui étaient les miens, où sont-ils? Tous, à la fois, sont-ils tombés comme les autres? Ont-ils succombé si loin, que je ne flaire pas même, dans l'air, l'odeur de leurs plaies et de la sueur qui les mouille? Ne peut-on m'ouvrir cette porte pour que j'aille à sa recherche, à Lui?

> *Elle gratte le bas de la porte.*

La Chienne Bull. — Hé là, vous, on ne gratte pas les bas des portes. Tout le monde sait ça.

La vieille Chatte, *bas, à la Chienne Bull.* — Laissez-la, c'est nerveux.

La Bergère, *cessant de gratter.* — Oui, Il m'a dit : " Attends, reste là. " Par obéissance, j'y mourrais, plutôt que d'enfreindre son ordre. Mais je sens mon cœur vieillir et s'user d'attente, et j'ai peur.

> *Elle se couche et tombe dans une sombre rêverie, puis dans un sommeil fiévreux.*

La Bergère, *en songe*. — Qui frappe?... N'entrez pas, je veille! Cette boue est mon lit, cette planche celui de mon maître. Il se repose. On ne passe pas. Quoi? C'est pour marcher encore? Nous voici. J'ai mal dans les reins et le ventre transi; en quelques bonds cela passera... Mais Lui, voyez comme Il est pâle, et las... Cela passera. Le jour est loin, n'est-ce pas? Je n'ai pas besoin de vos petites lanternes pour éviter ce ravin d'où monte une fétidité à laquelle, depuis tant de jours, je n'ai pu m'accoutumer encore... Ne me dis pas " chut! " ô mon Maître, je suis muette. Tu m'as appris à vivre sans plus de bruit qu'une ombre. Où allons-nous? Cela n'importe guère, puisque tu me guides et que je te protège...

Ha!... Ce coup de fouet dans l'air, je l'attendais, et les mouches de fer dans la boue... Jamais nuit ne fut plus froide ni plus zébrée de brefs éclairs, crachés par des bouches invisibles... Quelque chose de mauvais s'avance sur nous, mon Maître, quelque chose que je perçois par mon ouïe, ma langue qui goûte l'air, mon poil en éveil; quelque chose que je devine et dont je voudrais t'avertir. C'est une mauvaise nuit, crois-moi. La vase, sous l'eau du chemin, suce mes pattes et me retarde. Je ne veux pas te le dire, mais j'ai peur... Ah! j'en étais sûre! Les voilà, mon Maître, les voilà! Tu ne les sentais donc pas accourir? C'est une bataille de plus pour nous, ce n'est que cela : je respire et tu souris.

Eh bien, qu'attends-tu? Où ton arme, le feu, le bruit que ton poing darde, où ta magie familière? Tes mains sont vides et retombent?... A mon tour de t'apprendre la bataille, la mienne! A la gorge, mon Maître! Là, sous l'oreille, vois, comme je fais! Juste dans la fontaine du sang... Que tu es beau, bondissant! J'en tiens un, tu tiens l'autre. Celui que je lâche, il glisse mollement, la tête inclinée sur la fraise rouge qui bouillonne à son col. Ne laisse le tien qu'assoupli dans tes mains et comme enchanté par la mort. Besogne, mon Maître, et ne te retourne pas pour apercevoir, sur la plaine noire, qu'ils sont mille, et mille et mille autres renaissants. A l'aide, nos amis! Ils sont trop! Je n'en puis saigner qu'un à la fois, abandonnerez-vous mon Maître aux prises avec tous ces démons?...

Seuls... seuls... seuls. Mon Maître, nous sommes seuls, toi et moi, contre tous. Han! la main de celui-ci ne te frappera pas; et que du

moins la face de cet autre, monstre au poil
blanchâtre, se masque — han! — d'une pourpre
qui la fera moins hideuse... Quoi? Que cries-tu?
Ils t'emportent? Ah! pas sans moi, pas sans
moi!... Qui me lie? Maître, on m'étrangle!
Maître, attends-moi! Maître, que ma vie s'éteigne
sur ta poitrine! Délivre-moi! Tes mains que tu
dresses et qui dégouttent dans l'air, je les
laverai d'une salive qui guérit, si je t'atteins...
Maître, ils me torturent, et ne savent pas que je
hurle seulement de te voir diminuer et disparaître... Je puis laisser à leur piège tout ce qu'ils
ont déchiré de moi, pour te suivre, te suivre,
te suivre...

> *Elle s'éveille avec un long hurlement,
> et continue éveillée la lamentation de
> son rêve. La Chienne Bull et la
> vieille Chatte tremblent, sans com-
> prendre... La porte s'ouvre, un
> soldat bleu se penche sur la Bergère
> et lui parle.*

LE SOLDAT, *tenant dans ses mains la tête de la
Chienne.* — Là, là, Bergère... Là, mon amie...
Qu'as-tu rêvé, Bergère? Tu sais bien que c'est
fini, Bergère...

LA BERGÈRE, *égarée, en pleurs.* — Ah! te voici,

ah! je te retrouve... Il y a un instant j'étais avec
toi et je recommençais une de nos pires nuits...
Combien de fois vais-je te perdre? Donne tes
mains, que je m'assure... Non, elles ne dégouttent
point... Tes pieds que je flaire n'ont pas marché
près du ravin... Te voilà riant, et tout parfumé de
vie! Et tu dis : " C'est fini... " O mon Maître,
pas encore. Je t'ai trop souvent perdu. Nous
avons trop longtemps habité un pays où l'âme
n'a pas de repos, et où le corps désespéré veille
malgré lui quand défaut l'âme. Aussi, pardonne-
moi si pendant bien des jours je te donne à
chacun de tes retours, au lieu des cris et des
saluts d'allégresse qui te sont dus, ce qui
m'emplit toute et déborde au moindre choc :
la folle alarme, les bonds d'un cœur qui m'étouffe et tonne dans ma poitrine, la plainte contenue
pendant tant d'heures écrasantes... Pardonne-
moi, l'amour que je t'ai voué, ô mon Maître,
n'a pas fini d'être triste...

> *Elle lui lèche les mains, se prosterne
> et continue de gémir tout bas.*

LES BÊTES ET LA TORTUE

Un jardin à Auteuil. Piste de gravier autour d'un gazon ovale. Marge de géraniums à gauche, phlox et sauges à droite; au fond, jungle — cinq mètres sur sept — de frênes panachés, de noisetiers rouges et de syringas.

Le matin, en août. Les bêtes somnolent au jardin, ou font leur toilette. Il y a la Bergère noir et feu, la Chienne Bull — dont — le — frère — a — été — acheté — par — un — Américain, la Chatte persane âgée, un peu snob, et la jeune Chatte noire qui est une sorte d'énergumène. La porte de la maison s'ouvre. Un quelconque Deux-Pattes descend du perron et dépose sur le gravier, au soleil, une Tortue grosse comme un cantaloup, une touffe de scarole, puis s'en va.

Voix de Deux-Pattes, *dans la maison.* — Elle va s'acclimater très vite, n'est-ce pas?

Les Bêtes ne lui feront pas de mal?

D'ailleurs nous les surveillerons d'ici... etc., etc.

> *La Tortue, pattes et tête invisibles, ressemble autant qu'elle peut à un gros caillou veiné.*

La Chienne Bull. — Qu'est-ce qu'on a mis par terre?

La Bergère. — Rien. Une boîte ronde, ou une pierre.

La Persane, *ensommeillée*. — Qu'est-ce que c'est?

La Chatte Noire, *tout de suite dans le dernier désordre et les yeux hors la tête*. — Qu'est-ce qu'il y a? Qu'est-ce qu'il y a? Au nom du Ciel, qu'y a-t-il? Que me cache-t-on?

La Chienne Bull, *à la Chatte Noire*. — Vous, la folle, faites-nous le plaisir de rester tranquille, ou bien retournez chez les voisins. Vous savez bien y aller, chez les voisins, à l'heure du déjeuner, pour imiter la chatte affamée. Allez-y donc tout de suite.

La Bergère, *bas*, *impérieusement*. — Chut. Écoutez!

> *Les Bêtes se tournent vers la Bergère*
> *qui, couchée raide en lévrier, braque*
> *ses oreilles et ses yeux sur la Tortue.*

Les Bêtes, *ensemble*. — Eh bien?

La Bergère, *d'un ton bref et passionné*. — Ça bouge!

La Chatte Noire, *éperdue.* — Quoi? Quoi? Grands dieux, qu'est-ce qui bouge?

La Bergère, *sans remuer un cil.* — Ça.

La Chienne Bull, *haussant les épaules.* — Pensez-vous! Avec votre manie de vigilance, vous voyez des suspects partout. Les pierres bougent, le garçon boucher mérite la mort, la laitière ne vaut pas la corde pour la pendre... N'est-ce pas, Persane?

La Persane, *élégante et détachée.* — ... M'en moque!

La Chienne Bull, *continuant.* — C'est comme pour les militaires. Moi, je dis bonjour à tous les militaires habillés de bleu, tandis que... *(Elle se tait, les yeux ronds : un bout de patte écailleuse vient de sortir de dessous le caillou veiné...)* Ça, par exemple... Persane, vous avez vu? Qu'est-ce que vous en dites?

La Persane, *fronçant le nez.* — Je ne comprends rien à cela. Mais ça doit sentir mauvais, comme tout ce que je ne connais pas.

La Chienne Bull. — Bergère, qu'est-ce que ça signifie?

La Bergère, *bas, en arrêt.* — J'attends.

LA CHIENNE BULL. — Qu'est-ce que vous attendez?

LA BERGÈRE, *nerveuse*. — Fichez-moi donc la paix!

LA CHATTE NOIRE, *qui n'a encore rien vu*. — Qu'est-ce que vous dites? Il y a un mystère? Quelque chose d'effrayant, n'est-ce pas? Mais parlez donc!

LA CHIENNE BULL, *soucieuse de son prestige, avec une fausse assurance*. — Eh! laissez-nous tranquilles, vous voyez bien que nous sommes occupées! Certes, j'ai vu bien des choses dans ma vie, surtout dans le temps que j'avais une automobile, chez mes anciens Deux-Pattes, mais je ne me souviens pas d'avoir rencontré une... une curiosité comme...

> *L'apparition de trois autres pattes lui coupe la parole. La Tortue, sans montrer sa tête, risque deux pas sur le gravier chaud.*

LA CHATTE NOIRE, *bondissant en arrière*. — Haah! que vois-je? Horreur! Magie! Ma tête se perd! Mes yeux se voilent! Tout est piège autour de moi, tout est menace et funeste présage!...

LA BERGÈRE, *frémissante, sans quitter l'arrêt*,

bas. — Que j'aie seulement deux minutes à moi, je la ferai crier pour quelque chose, cette Chatte noire...

La Persane. — J'aime mieux m'en aller. Ce bruit me fatigue, et je vous assure que cette chose sent mauvais.

> *Elle s'écarte en secouant ses pattes l'une après l'autre comme si elle avait marché dans l'eau sale.*

La Chienne Bull, *dilatant son nez sans flair.* — Cette vieille dame radote, ça ne sent rien du tout. (*Elle colle son nez sur la Tortue, les quatre pattes disparaissent soudain. La Chienne Bull, saisie, sautant en l'air.*) Hi!...

La Bergère, *à bout de nerfs et d'attente.* — Ah! ne m'agacez pas, vous! C'est votre faute, si ce caillou n'a plus de pattes maintenant!

La Chienne Bull. — Ma faute! Vous allez m'apprendre ce que j'ai à faire, sans doute? Chez mes Deux-Pattes à l'automobile, il y avait un écureuil du Brésil, ma bonne dame, et un perroquet avec des plumes en céleri sur la tête, et tout ça filait doux avec moi, je vous prie de le...

> *La Tortue, égayée par le soleil, darde une tête plate aux petits yeux*

voltairiens, et bâille d'appétit, mon-trant sa langue rose. Le cou plissé s'allonge, et la Tortue marche gaillardement vers la scarole.

LA CHATTE NOIRE, *en pleine épilepsie.* — Beuh! Maman! Un serpent! Un serpent! Houin! Mouan! Au secours!

Elle disparaît comme emportée par les démons.

LA CHIENNE BULL, *claquant des dents, à la Ber-gère.* — Vous... Vouvous, croy-croyez que c'est un seseserpent?

LA BERGÈRE, *qui a les poils du dos comme une arête de sole, bas.* — Attendez seulement... Laissez-moi faire. Un coup de dents au bon moment, et il n'est plus question de cette vermine... Ça me connaît!

LA CHIENNE BULL, *flageolante.* — C'est ça... Je vous laisse ensemble... Je reviens dans un ninninstant...

Elle s'enfuit.

Trois heures plus tard. Près de la Tortue qui a fait le tour du jardin et broute à présent les pois de

> senteur, *la Bergère se tient toujours à l'arrêt.*

La Chienne Bull, *sur le perron, sans approcher.* — Eh bien? Vous l'avez tuée?

La Bergère, *exténuée, mais héroïque, le nez à deux doigts de l'écaille ambulante.* — Pas encore.

La Chienne Bull, *ironique.* — Qu'est-ce que vous faites, alors?

La Bergère. — J'attends.

La Chienne Bull. — Vous attendez quoi?

La Bergère. — Qu'elle sorte de sa niche!...

TABLE

BRODARD ET TAUPIN — IMPRIMEUR - RELIEUR
Paris-Coulommiers. — Imprimé en France.
1798-1-7 - Dépôt légal n° 5706, 3e trimestre 1966.
LE LIVRE DE POCHE - 4, rue de Galliéra, Paris.
30 - 11 - 1538 - 02